café com Deus Pai

TEENS

Dados Internacionais de Catalogação na Publicação (CIP)
(Câmara Brasileira do Livro, SP, Brasil)

Junior Rostirola
Café com Deus Pai teens / Junior Rostirola. -- São Paulo : Editora Vida, 2022.

ISBN 978-65-5584-317-0
e-ISBN: 978-65-5584-322-4

1. Deus (Cristianismo) 2. Literatura devocional 3. Vida cristã I. Rostirola, Junior. II. Título.

22-121886 CDD-242

Índices para catálogo sistemático:
1. Literatura devocional : Cristianismo 242
Eliete Marques da Silva - Bibliotecária - CRB-8/9380

café com Deus pai TEENS

JUNIOR ROSTIROLA

Vida

Vida

Editora Vida
Rua Conde de Sarzedas, 246 — Liberdade
CEP 01512-070 — São Paulo, SP
Tel.: 0 xx 11 2618 7000
atendimento@editoravida.com.br
www.editoravida.com.br
@editora_vida /editoravida

CAFÉ COM DEUS PAI TEENS

■

Todas as citações bíblicas e de terceiros foram adaptadas segundo o Acordo Ortográfico da Língua Portuguesa, assinado em 1990, em vigor desde janeiro de 2009.

■

Editor responsável: Gisele Romão da Cruz
Editor-assistente: Aline Lisboa M. Canuto
Preparação de texto: Bruna Gomes, Emanuelle G. Malecka
Ilustração: Marcus Nati
Revisão de provas: Vânia Valente, Lettera Editorial
Projeto gráfico: Claudia Fatel Lino
Diagramação: Willians Rentz, Claudia Fatel Lino
Capa: Amanda Stofela e Jonatas Cunico

Os nomes das pessoas citadas na obra foram alterados nos casos em que poderia surgir alguma situação embaraçosa.

Todos os grifos são do autor, exceto indicação em contrário.

1. **edição:** out. 2022
1. *reimp.*: jan. 2023
2. *reimp.*: maio 2023

Esta obra foi composta em *Argumentum* e impressa por BMF Gráfica sobre papel *Offset* 90 g/m² para Editora Vida.

Sumário

SEMANA 2

SEMANA 3

Introdução

Oi! Meu nome é Junior.

Eu sou adolescente, sou cristão e quero muito conhecer mais sobre Deus.

Sei que Deus tem algumas qualidades que mostram quem ele realmente é. Essas qualidades são chamadas de atributos. Estou superempolgado para saber quais são e o que eles significam. Mas não quero fazer isso sozinho. Vai ser muito melhor e muito mais legal se você se juntar a mim! Vem comigo?

Serão 6 semanas com 7 estudos cada. Em 42 dias nós vamos conhecer palavras bem diferentes que nos ensinarão muito sobre o quanto Deus Pai nos ama e deseja que sejamos parecidos com ele.

Vamos tomar um *Café com Deus Pai*?

JUNIOR ROSTIROLA

1

Deus Pai é infinito

Colossenses 3.1-3

Olá, meu amigo, seja bem-vindo! Estou muito feliz por você ter decidido iniciar esta jornada de conexão com o nosso Pai. É uma alegria estar aqui com você durante a leitura deste devocional. Tenho certeza que você sairá transformado desta jornada que vamos viver juntos! Ah, eu também garanto que tudo que você vai aprender aqui vai valer muito a pena.

Antes de começar, quero perguntar uma coisa: como está o seu coração hoje? Os seus dias têm sido alegres ou tristes?

Sabe, tenho a sensação de que hoje em dia virou moda ser triste. Você também tem essa impressão? Não estou falando de doenças que causam tristeza, como a depressão, não! Falo de pessoas que curtem viver tristes. Sabe quando alguém sempre tem uma história triste para contar em vez de uma história feliz e divertida? É isso! Essas pessoas só olham o lado ruim da vida. Não que o mundo em que vivemos não esteja cheio de coisas ruins, mas nós temos um Pai, o nosso Deus, que está do nosso lado em todos os momentos e, ainda assim, acabamos prestando muito mais atenção nos problemas do que no cuidado que ele tem por nós.

Você leu o texto de hoje? É importante que você leia o texto indicado todos os dias. Colossenses diz que devemos olhar para cima porque essa é a única forma de conseguir ver as coisas pela perspectiva de Deus. O que você acha que isso quer dizer? Isso significa que podemos ver o mundo com um tipo de óculos de sol. Como assim? É muito mais simples do que parece! Quando temos um relacionamento com Deus, podemos olhar o mundo pelas lentes de Cristo, ou seja, é como se tivéssemos um óculos de sol que não muda a claridade, mas muda a forma que enxergamos o mundo.

É maravilhoso pensar que, ao aceitarmos Jesus como Salvador, automaticamente ganhamos um Pai que é infinito. Ele é infinito porque é como os números, não dá para contar até o fim, até porque não existe fim! Ele pode tudo, ele faz tudo! E o Senhor nos convida para viver tudo com ele. Quando escolhemos viver essa nova vida ao lado do Pai, ele muda a nossa perspectiva, os nossos óculos, então, não precisamos mais viver choramingando. Deus nos prometeu uma vida transformada e cheia de coisas boas para serem contadas.

Ei, se você acha que isso quer dizer que tudo será sempre às mil maravilhas, está errado, viu? A Bíblia também nos diz que teremos aflições neste mundo. E aflições são problemas. Mas o xis da questão (eu sei que isso parece um exercício de matemática, mas desta vez você não precisa achar qual é o valor do xis!) é justamente passar por tudo, de bom e de mau, olhando para o alto, lembrando sempre que Deus é vivo e que a sua presença está conosco por meio do Espírito Santo. Dessa forma, o que é bom fica melhor e o que é ruim passa bem rápido.

Oração

Deus, eu te recebo como meu Pai e peço que o Senhor me ajude a passar cada um dos meus dias olhando para o alto, com os óculos que mostram o mundo como tu desejas que eu veja. Que eu consiga enxergar tudo através dos teus olhos e que eu possa agradecer por tudo o que tu diariamente me proporcionas. Em nome de Jesus, amém.

Parabéns! O primeiro dia do devocional foi concluído com sucesso, e este é só o começo. Para você guardar na mente e no coração tudo o que aprender aqui, ao final de cada devocional, será proposto um exercício para você fixar tudo o que aprender e levar esta experiência para a sua vida.

Para começar, meu amigo, vamos refletir. Já parou para pensar no quanto esta nossa viagem pela Bíblia transformará a sua vida? Quando chegarmos lá no final, você já será outra pessoa, e isso fará toda a diferença.

Então, vamos lá! Escreva as situações da sua vida que você considera serem um problema. Depois, leia sua lista e imagine como Deus pode ajudar você a superar as suas dificuldades.

Este exercício é para ajudar você a perceber que nem sempre é tão difícil assim resolver problemas. E também para lembrar que, mesmo que seja difícil, é sempre bom saber que não estamos sozinhos e que podemos pedir ajuda para um Deus infinitamente poderoso, não é verdade?

Deus Pai é ilimitado

2

Salmos 145.3, 1Reis 8.27

Olá, que bom que você voltou para me acompanhar no devocional de hoje! Nosso estudo de ontem foi demais, não foi? Espero que este seja assim também, pois hoje vamos aprender que, além de infinito, Deus Pai é ilimitado. Você sabe o que isso quer dizer? Que Deus pode fazer qualquer coisa, pois seu poder, além de não acabar nunca, é tão grande que não se pode medir. E a mesma coisa acontece com a sabedoria de Deus e com o amor e o cuidado que ele tem por nós.

Mas, para que a gente possa ver o agir de Deus em nossa vida, é muito importante que ele ocupe o primeiro lugar em nosso coração. Ele precisa ser mais importante do que todas as coisas legais que gostamos de fazer: brincar com os amigos, jogar um jogo divertido, ir ao cinema, postar vídeos no TikTok... Quando damos a Deus a atenção que ele merece, passamos pelas dificuldades de forma diferente, e até as alegrias nós comemoramos de outro jeito. A nossa vida ganha um novo sentido, porque tudo o que fazemos é para a honra e a glória de Deus.

Você pode estar pensando que colocar Deus como centro da sua vida deve ser algo muito difícil e complicado, mas não é. Se você separar uns minutinhos do seu dia para orar e ler a Bíblia todos os dias, isso fará toda a diferença. Andar com Jesus e ser obediente a Deus é um grande privilégio! Quando entendemos que o poder de Deus é tão grande que está acima de qualquer limite, fica fácil deixar ele cuidar de nós, pois percebemos que temos muitas limitações e não podemos fazer tudo sozinhos.

Nós somos limitados pelo tempo, pelas responsabilidades (ainda que, por enquanto, a sua provavelmente seja fazer a lição de casa e tirar boas notas na escola), pelo conhecimento e por muitas outras coisas, e é por isso que precisamos de Deus. Ah, mas tem uma coisa muito importante que você precisa saber: ao deixarmos Deus cuidar da nossa vida, isso não significa que estaremos livres de problemas e dificuldades. Se você estava achando isso, pode esquecer. Seria ótimo se tudo fosse perfeito, não é? Imagine só que maravilha seria se a gente nunca mais levasse uma bronca dos nossos pais ou nunca mais ficasse bravo! Seria incrível, é verdade, mas, se fosse assim, a gente não iria amadurecer, crescer em nossa forma de pensar.

Ei, não fique triste! Os problemas sempre vão existir, mas, quando eles surgirem, Deus nos dará força, sabedoria e coragem para lidar com eles.

Deus, obrigado porque, assim como acontece com o teu poder, o teu amor por mim não tem limites. É muito bom saber que, por não ser limitado pelo espaço, tu estás em toda parte, inclusive em meu coração. Que eu possa, apesar das minhas limitações, ser cada vez mais parecido contigo e refletir o teu amor. Amém.

No devocional de ontem, nós vimos que podemos contar com a ajuda do Deus que é infinitamente poderoso e paramos para pensar sobre como ele pode nos ajudar a superar as nossas dificuldades. Hoje, nós vimos que o *poder de Deus* é tão grande que não se pode medir, e é por isso que podemos confiar que ele sabe cuidar de nós como ninguém. Nós não temos todo o poder e toda a sabedoria que Deus tem, mas, mesmo sendo tão pequenos, podemos refletir o amor ilimitado de Deus. Você consegue pensar em alguns exemplos? Escreva todas as ideias que o Senhor falar ao seu coração.

3

Deus Pai é bom

Salmos 119.68, Salmos 34.8, Isaías 63.7

Olá, amigo, que bom encontrar você outra vez! Nossa jornada devocional está só começando e ainda temos muitas coisas para aprender sobre Deus! Nos estudos anteriores, nós aprendemos que Deus é infinito e ilimitado, mas sabe o que mais ele é? Bondoso. E não é só isso! Salmos 119.68 nos diz que ele é a fonte do bem. Isso significa que não há nada que venha de Deus que não seja bom.

Já sei, você deve estar se perguntando o seguinte: "Peraí, se tudo o que vem de Deus é bom, então quer dizer que tudo o que nos acontece, ainda que seja ruim, é bom?". E a resposta é... sim!

Sabe por quê? Porque todas essas coisas nos ensinam mais sobre o quanto Deus nos ama! Ele é tão bom, mas tão bom, que só quer o melhor para nós. Algumas vezes, o Senhor precisa nos corrigir quando erramos. Ele também permite que passemos por algumas situações difíceis, para que a gente possa amadurecer com elas. Igualzinho os nossos pais fazem quando somos desobedientes! A bronca que levamos do nosso pai ou da nossa mãe quando fazemos algo de errado é um gesto de amor. É claro que ninguém gosta de levar uma bronca ou ficar de castigo, mas a verdade é que eles fazem isso para o nosso bem, porque nos amam.

Deus é bom o tempo todo: quando nos corrige, quando nos protege, quando nos livra do mal... Ele nos dá saúde para levantar da cama todos os dias (mesmo quando bate aquela preguiça de acordar cedo para ir à escola), disposição e energia para brincar com os amigos e inteligência para aprender coisas novas. Tudo isso é bom demais, não é?

E por Deus ser tão bom assim é que devemos ser gratos. A Bíblia está cheia de histórias sobre a bondade de Deus para com o seu povo, e uma delas deve ser para sempre o motivo da nossa maior gratidão: o nascimento de seu filho Jesus, que veio ao mundo para nos salvar.

Deus, obrigado por cuidar de mim com tanto amor! Se não fosse pela tua bondade, eu não teria nada, muito menos a vida eterna por meio de Jesus. Nunca me deixes esquecer que a minha vida está nas tuas mãos e que tudo o que o tu fazes é para o meu bem. Amém.

Não é incrível quando paramos para pensar no quanto Deus é bom? Mais incrível ainda seria se outras pessoas também soubessem disso, não é mesmo? É por isso que a Bíblia nos ensina que devemos pregar o evangelho a toda criatura, pois só assim essas pessoas saberão que Deus as ama. Você consegue se lembrar de alguém que precisa conhecer o amor de Deus e a sua bondade? Ore por esse amigo e peça a Deus uma oportunidade para falar desse amor para ele!

4

Deus Pai é justo

Salmos 19.9, 92.15, 97.2

Olá, amigo! Pronto para mais uma etapa da nossa aventura? Tenho certeza que você vai gostar do tema de hoje, pois vamos falar de algo que os super-heróis defendem: a justiça. Sim, Deus Pai é justo! Mas, ao contrário dos super-heróis dos quadrinhos e dos filmes, que lutam com todas as forças para defender a justiça dos homens, que é falha, a justiça de Deus tem zero defeitos.

Deus é tão perfeito que, ao criar o mundo, também criou leis para que tudo funcionasse na mais perfeita harmonia. Mas, uma vez que essas leis não são respeitadas, é preciso haver uma correção (você se lembra do que aprendemos ontem? Deus nos ama tanto que nos corrige para o nosso bem), e foi isso o que aconteceu quando Adão e Eva comeram do fruto da árvore do conhecimento do bem e do mal. Por causa da desobediência deles, o pecado entrou no mundo e o homem se tornou incapaz de viver a vida maravilhosa que Deus havia planejado para o ser humano.

Mas Deus é tão bom (lembra?), que não deixou essa história terminar assim. Por pura generosidade, ele decidiu acertar nossa situação com ele para que pudéssemos ter um final feliz. E o profeta Isaías deu este *spoiler* muitos anos antes de a promessa se cumprir: "Porque um filho nasceu — para o nosso bem! [...] Ele vai assumir o governo do mundo [...] e não haverá limites para a restauração que ele irá promover" (Isaías 9.2-7).

Você sabe de que restauração ele estava falando? Do perdão dos nossos pecados por meio da morte de Cristo na cruz. O sacrifício de Jesus, que veio ao mundo para nos salvar, não só mudou a nossa situação diante de Deus, como nos permite viver em sua justiça. Na cruz, Jesus pagou o preço pelo nosso pecado. Sabe o que isso significa? Que além de nos amar muito, Deus é tão justo que arrumou um jeito de todos os pecados serem pagos. Ele entregou seu próprio Filho em nosso lugar.

Deu para perceber que justiça é algo que Deus leva muito a sério, não é? É por isso que nós também devemos ser justos. A Bíblia nos diz, em Miqueias 6.8, que devemos fazer o que é correto e justo ao próximo, pois é o que Deus espera de nós. Mas e quando as pessoas não são justas com a gente?

Quando sofremos algum tipo de injustiça, dá uma vontade de se vingar, não é? A gente sente que precisa fazer algo a respeito, porque não dá para deixar quieto! Mas a única coisa que devemos fazer é deixar que Deus cuide de tudo, pois a justiça dele não falha. Pensa comigo: se Deus foi tão generoso, a ponto de enviar Jesus ao mundo para pagar por nossas injustiças, pelos nossos pecados, por que você acha que ele iria deixar você na mão? Não faz sentido, né? A única coisa que faz sentido é a seguinte: você pode confiar na justiça de Deus. Ela é melhor que a de qualquer super-herói!

Deus, obrigado por ser um justo juiz. Eu confesso que é bem difícil não revidar quando sofro algum tipo de injustiça, mas quero que tu me ajudes a confiar em ti em todos os momentos. Nunca me deixes esquecer do sacrifício de Jesus na cruz por mim. Amém.

A justiça de Deus nunca falha, mas nem sempre ela chega na hora que a gente quer. Isso acontece porque o tempo de Deus é diferente do nosso. Algumas vezes, podemos até achar que Deus se esqueceu de nós ou que não se importa com a gente, mas isso é uma grande mentira, porque ele nos ama tanto, que enviou Jesus ao mundo para que o nosso relacionamento com ele fosse restaurado. Converse com seus amigos sobre o que devemos fazer quando a justiça de Deus parece demorar para chegar?

Deus Pai é misericordioso

5

Salmos 103.8-17, 2Coríntios 1.3

Olá, amigo, que bom que você está aqui! Antes de começar o devocional de hoje, quero fazer uma pergunta: você é bom em matemática? Diz aí, quanto é 70x7? Não vale usar a calculadora, hein!

Jesus lançou esse mesmo desafio a Pedro. Quando o discípulo perguntou a Jesus quantas vezes devemos perdoar quem nos prejudica, o Mestre disse que não seria sete vezes, como Pedro havia sugerido, mas setenta vezes sete. Só que, diferente do que parece, ele não estava querendo dizer que a resposta era 490. Qual é o resultado dessa conta, então?

A resposta é... infinitas vezes! Pois é; se você já estava anotando no caderno a quantidade de vezes que perdoou aquele colega que vive pegando no seu pé na escola, para saber quando poderá deixar de perdoá-lo, esquece. O que o Senhor quer que a gente faça é oferecer perdão às pessoas quantas vezes for necessário.

É, eu sei que isso parece injusto e até errado, mas aí eu pergunto: se Cristo nos perdoa diariamente, quem somos nós para não perdoar o nosso próximo, não é verdade? Perdoar é algo difícil, mas também é uma forma de expressar o amor de Deus por nós. Além disso, quando perdoamos alguém, estamos tirando um peso do nosso ombro, pois quem sofre mais não é a pessoa que feriu, mas aquela que não perdoa. Sabia disso? Vou explicar.

Imagine que você está segurando uma pedra e não pode soltá-la nunca. É possível bater palmas? E jogar *videogame*, você conseguiria? Tomar banho segurando uma pedra também não deve ser muito fácil... Trocar de roupa, então, nem se fala. Para fazer todas essas coisas, você precisaria estar com as duas mãos livres, certo? A pedra só atrapalha tudo!

A falta de perdão também é assim. Uma mágoa que não foi perdoada se torna um peso, como a pedra, e atrapalha a vida de quem a carrega. Ela machuca como a pedra e impede quem a carrega de fazer um monte de coisa. Quando escolhemos não perdoar, ficamos com um peso em nosso coração. É como se carregássemos uma pedra para sempre.

Mas você pode escolher soltar essa pedra. Sabe como? Perdoando de coração. Não ligue mais para essa ofensa, deixe que Deus cuide disso para você. Não fique relembrando a história, pois isso só fará que o seu coração fique cheio de sentimentos ruins. Não deseje o mal a quem chateou você, pois não é assim que demonstramos o amor de Deus por nós. Devemos perdoar os outros porque Deus Pai é misericordioso. Mesmo que nós não mereçamos, ele escolheu nos perdoar.

Deus, obrigado por me perdoar. Mesmo eu não merecendo, tu enviaste Jesus ao mundo para morrer pelos meus pecados, e por isso sei que eu também devo praticar o perdão. Mas sabe, Deus, eu tenho muita dificuldade em perdoar quem me magoou! Por isso, peço que me ajudes a fazer essa escolha de coração, pois não quero carregar essa pedra para sempre. Amém.

Perdoar é libertador, não é mesmo? Nosso coração fica mais leve, livre do rancor, da tristeza e de outros sentimentos ruins. Nem sempre é fácil fazer essa escolha, mas com a ajuda de Deus, é possível perdoar de coração sincero. Você conhece a história de Estêvão? Leia Atos 7.54-60 e conte a alguém como é possível perdoar até mesmo nas situações mais difíceis.

6

Deus Pai é cheio de graça

João 1.16,17,
Romanos 3.24, 5.15,
Efésios 1.6,7

Olá, amigo, eu estava ansioso para encontrar você outra vez! É porque vamos falar sobre algo muito legal no devocional de hoje: presentes! Quem não gosta de ganhar presente, não é verdade? Eu adoro, porque os presentes são uma forma de demonstrar amor, e todo mundo gosta de se sentir amado.

Eu também gosto de presentear as pessoas, pois é uma forma de mostrar para elas que as amo. Ah, e eu não estou falando de presentes caros, não, viu? Quando é de coração, qualquer presente importa: pode ser uma cartinha, um desenho, uma flor ou algo nós mesmos que fizemos. Você sabia que até mesmo uma atitude pode ser um presente? Quando, por exemplo, arrumamos o nosso quarto ou ajudamos nossa mãe com as tarefas de casa, isso é um grande presente — ainda mais quando ela nem precisa pedir para fazermos essas coisas!

Presentear e ser presenteado é algo muito bom, e isso me faz lembrar de um presente muito especial que recebemos de Deus: a vida eterna. Ser salvo é um presente que Deus nos dá quando cremos em Jesus. E assim como cuidamos bem dos presentes que ganhamos das pessoas, Deus também espera que a gente valorize com muito carinho o presente tão especial que ele nos deu, pois a Bíblia nos diz que é um presente do céu. Por causa do pecado, o homem não podia viver a vida gloriosa que Deus havia preparado para o ser humano, mas, por meio de Jesus Cristo, nossa relação com Deus foi corrigida. Esse tipo de presente tem um nome: graça.

Graça significa um favor que você recebe sem merecer. É como aquele presente legal que ganhamos dos nossos pais sem ter uma data especial. Ah, mesmo que seja nosso aniversário, Dia das Crianças ou Natal, não ganhamos presentes porque somos perfeitos ou nunca fazemos nada de errado. Somos presenteados simplesmente porque nossos pais nos amam!

Deus faz a mesma coisa. Mesmo a gente não fazendo nada para merecer, ele nos dá a salvação de graça, num gesto de amor incondicional. A Bíblia nos diz que foi tudo ideia e obra dele! Nossa parte nisso tudo é apenas confiar em Deus o bastante para permitir que ele aja em nossa vida. É um imenso presente! E a graça de Deus é tão grande que atua mesmo depois de já termos sido salvos, sabia?

Quando fazemos algo de errado e nos arrependemos desse erro, Deus nos perdoa e nos ajuda a consertar as coisas. Isso não significa que podemos continuar pecando, pois devemos ser obedientes, mas que a graça de Deus é muito grande e generosa. É por isso que nós também devemos mostrar generosidade para com as pessoas por meio do perdão. Se Deus, que é tão perfeito, nos perdoou tantas vezes (e continua a nos perdoar!), como podemos exigir castigo para uma pessoa que é tão pecadora quanto nós? A graça de Deus nos ensina que todo mundo merece uma nova chance porque ele nos deu uma nova chance primeiro.

Deus, obrigado pelo presente da salvação! Tua graça me alcançou e, por isso, quero dedicar minha vida a ti. Assim como tu perdoas os meus pecados, que eu possa perdoar as pessoas quando elas me chatearem. Amém.

Deus nos deu graça de graça para nos mostrar que não custa nada fazer o mesmo pelo nosso próximo. De que maneiras podemos abençoar a vida das pessoas de graça, sem esperar nada em troca? Faça uma lista e peça a Deus que ajude você a colocar em prática ainda hoje pelo menos um item!

Deus Pai é onipresente

7

Salmos 139.7-10

Olá, amigo, é sempre bom encontrar você por aqui! Esta jornada de conexão com Deus está sendo incrível, não é mesmo? E só de pensar no tanto de coisas que ainda temos para aprender nos próximos dias, fico muito empolgado! E você? Espero que, assim como eu, você esteja se divertindo com nossos estudos.

E por falar em diversão, me diz uma coisa: você gosta de brincar com seus amigos? Eu adoro! Podemos fazer tantas coisas legais juntos: jogar *videogame*, bola, andar de patins, bicicleta... (Ufa! Só de falar, já cansei.) Mas a minha brincadeira preferida é esconde-esconde. Não é muito legal encontrar um lugar ultrassecreto para se esconder enquanto a outra pessoa procura por nós em todos os lugares? Melhor ainda é quando ela demora para nos encontrar! Mas sabe com quem nunca dá certo brincar de esconde-esconde? Com Deus! Não existe lugar onde Deus não vai ou onde ele não possa entrar para ver o que está acontecendo.

Você leu o texto de hoje? O salmo 139 nos diz que Deus nos vê até mesmo na escuridão. A escuridão não é escura para ele.

Noite e dia, escuridão e claridade são a mesma coisa para Deus. Isso significa que Deus Pai é onipresente, pois ele está em todos os lugares... e ao mesmo tempo! Você consegue imaginar isso? Quando estamos brincando de esconde-esconde com nossos amigos e é a nossa vez de procurá-los, precisamos olhar um lugar de cada vez, pois não podemos estar em todos os lugares ao mesmo tempo. Mas Deus pode! Ele nem precisaria sair procurando as pessoas uma a uma, pois conseguiria encontrar todas de uma vez. Ah, mas não é só isso: Deus é tão poderoso que consegue ver até mesmo os segredos mais escondidos do nosso coração. Além de não podermos nos esconder de Deus, não há nada que possamos esconder dele.

Não é maravilhoso saber que Deus está com a gente em todos os lugares e em todos os momentos? Ele nunca nos abandona! Deus está com a gente quando brincamos, descansamos, passeamos, estudamos... Ele está na nossa frente, atrás de nós, de um lado e do outro, e é por isso que não podemos fugir dele. Não adianta mudar de escola, de casa ou até mesmo de país para fugir de Deus, porque é simplesmente impossível! Pois além de estar em todos os lugares, Deus também está em nosso coração.

Deus, obrigado por estar comigo o tempo todo e em todos os lugares. Que eu possa aprender a não esconder nenhum segredo de ti, mesmo quando eu fizer algo de errado. E, quando eu me sentir só, que eu possa me lembrar de que tu estás na minha frente, atrás de mim, de um lado e do outro, e por isso eu nunca estarei sozinho. Amém.

Deus Pai é tão poderoso que está em todos os lugares, até mesmo em nosso coração. Quando fazemos algo de errado, até conseguimos (mas não devemos) esconder esse erro das pessoas, mas nunca de Deus. E mesmo com todo esse poder, Deus quer que a gente confesse os nossos pecados a ele em oração, pois essa é uma forma de reconhecermos que erramos e que precisamos da ajuda de Deus para melhorar. Existe alguma coisa escondida em seu coração que você precisa compartilhar com Deus? Se existe algo de errado que você fez em relação a outra pessoa, peça perdão a ela hoje mesmo também.

8

Deus Pai é santo

Provérbios 9.10, Isaías 6.3, 1Pedro 1.15,16

Olá, amigo, bem-vindo a mais um dia de estudo! Antes de começarmos o devocional de hoje, queria saber uma coisa: alguma vez, você já foi convidado para ir a uma festa muito chique? Estou falando daquelas festas cujo convite diz que o traje é "a rigor", sabe? Pode ser um casamento, um baile de formatura ou uma festa de 15 anos. Se você recebesse um convite para uma festa dessas hoje, que roupa iria usar? Com certeza você deve ter pensado em vestido da moda, uma maquiagem *superfashion* e acessórios cheios de brilho; ou então, um paletó chique, cabelo na régua e um sapato de marca.

São tantos detalhes para se pensar! Mas a verdade é que não dá para ir vestido de qualquer jeito numa festa dessas, não é mesmo? Não podemos nos apresentar diante dos outros com aquela camiseta velha que só usamos em casa!

Muita gente pensa que com Deus é diferente, que podemos nos apresentar diante dele de qualquer jeito, mas não é bem assim. É verdade que ele nos aceita como somos, mas não quer que a gente permaneça em sua presença da mesma forma. Seria a mesma coisa que ir para a cama sem tomar banho depois de ter brincado o dia inteiro! Deus nos recebe como estamos, sujos pelo pecado, mas, para estar em sua presença, é preciso vestir uma roupa especial chamada santidade.

Pense comigo: se fomos criados à imagem e semelhança de Deus, como a Bíblia nos diz lá em Gênesis, isso quer dizer que somos semelhantes ao nosso Criador, certo? Então, se quem nos criou é santo, como devemos ser? Sim, santos! Assim como nos parecemos com o nosso pai e a nossa mãe, seja na aparência ou na personalidade, nós também carregamos características do nosso Pai celestial, que nos criou, e uma delas é a santidade. Por causa do sacrifício de Jesus na cruz, nós nos tornamos santos diante de Deus. Por isso, devemos ter uma nova postura, um novo modo de agir e de pensar, fazendo tudo para a glória de Deus. Devemos vestir as vestes da santidade.

Ah, mas atenção: ser santo não significa ser perfeito, pois perfeito só existe um, que é Deus. No nosso caso, viver uma vida de santidade significa viver uma vida dedicada a Deus, ou seja, é um processo. Nossa vida aqui neste mundo deve ser uma constante busca pela santidade. E como isso acontece? Simples! Pela leitura da Bíblia, deixando Deus trabalhar em sua vida, buscando o Pai em oração e sendo obediente a ele. Ao fazer isso, você não estará apenas vivendo uma vida que agrada a Deus, mas mostrando para os outros o tamanho da transformação que ele faz na vida daqueles que nele confiam.

Santo Deus, obrigado porque, apesar das minhas imperfeições, tu me dás a chance de ser cada vez mais parecido contigo. Que eu possa seguir firme na busca pela santidade, lendo a Bíblia todos os dias e obedecendo aos teus mandamentos. Amém.

No devocional de hoje, aprendemos que a santidade é um processo. Enquanto estivermos neste mundo, devemos viver na constante busca de ser cada vez mais parecidos com o Senhor. É como se a gente fosse uma plantinha, que precisa de água e da luz do sol para crescer. No nosso caso, porém, devemos nos alimentar da leitura da Bíblia, da oração e da obediência a Deus para crescer espiritualmente. E para que você se lembre que o processo de santificação é um crescimento constante, peça a ajuda dos seus pais para semear uma plantinha (pode ser um grão de feijão num copinho com algodão e água) e cuide dela todos os dias.

9

Deus Pai é perfeito

Mateus 5.48, Efésios 1.11, Salmos 18.30

Olá, amigo, que legal ver que você está firme nesta jornada! Até aqui, pudemos conhecer bastante coisa sobre Deus, mas ainda temos muito mais a aprender. No devocional de ontem, nós aprendemos que a santidade é um processo, como se a gente fosse uma plantinha que está crescendo, lembra? E, por falar em plantas, você já parou para observar a natureza? Quando eu viajo, sempre fico impressionado com a beleza das árvores, as cores das folhas e das flores, o formato das nuvens, o azul do céu... E quando surge um arco-íris? Não é fantástico pensar que Deus escolheu cada uma daquelas cores a dedo?

Tudo isso me lembra do quanto Deus é perfeito. Muito antes de a gente existir, ele já havia planejado cada detalhe da nossa vida e todas as maravilhas da criação. A Bíblia nos diz que Deus já estava pensando em nós muito antes de ouvirmos falar de Jesus e de seu sacrifício na cruz! Somente um ser tão perfeito quanto Deus é capaz de pensar algo assim.

E, por ser perfeito, tudo o que Deus faz também é perfeito, e eu não estou falando só da natureza, mas de tudo o que ele faz na nossa vida também. Tudo? Sim, tudo. Sabe aquele garoto que vive pegando no seu pé na escola? Deus sabe e permitiu que fosse assim. Aquele brinquedo que você estava doido para ganhar, mas seus pais disseram não? Deus permitiu que fosse assim! Eu sei, parece injusto, não é? Se Deus é perfeito, então a nossa vida também deveria ser perfeita, concorda? Isso realmente faz sentido, mas é importante que você saiba que a nossa vida é perfeita aos olhos de Deus, e não aos nossos. Lembre-se de uma coisa: Deus é perfeito porque não há erro nem pecado nele — já em nós... haja pecado!

Assim como vimos no devocional de ontem, Deus é completamente santo e, por isso, age sempre com sabedoria, e é essa sabedoria que ele usa para escrever e executar os planos que tem para a humanidade. Por mais que a gente nem sempre consiga entender muito bem o que Deus quer com esses planos, devemos sempre nos lembrar que ele é mais sábio do que todos nós. A Bíblia nos diz que Deus sabe tanto das coisas, que todos os que seguem seu caminho se dão bem.

Sabe, não existe ninguém, além de Deus, que seja perfeito, mas, apesar disso, nós podemos pedir a ele que nos ajude a dar o nosso melhor em tudo o que fizermos. Isso é o que eu chamo de ser perfeito com imperfeições! E há muitas formas de fazer isso, quer ver? Dentro das nossas imperfeições, buscamos a perfeição quando damos o nosso melhor para tirar uma boa nota na prova, quando fazemos a lição de casa com dedicação, quando nos empenhamos para cuidar da criação de Deus, e muitas outras coisas. Nesse processo, a gente pode falhar, é claro (ou vai dizer que você nunca ficou com preguiça de estudar aquela matéria que não gosta?), mas o melhor de tudo é saber que podemos sempre contar com a ajuda de um Deus que é perfeito em tudo o que faz!

Deus, obrigado por ser perfeito em tudo o que fazes. Eu sei que não sou perfeito, mas que eu possa, apesar das minhas limitações, dar o meu melhor em tudo o que eu fizer, para que o teu nome seja glorificado. Amém.

Por Deus ser perfeito, seus caminhos são perfeitos também, mas nem sempre nos lembramos disso. Já aconteceu de você ficar chateado porque algo não aconteceu como você gostaria e, algum tempo depois, você entendeu que foi melhor assim? A Bíblia está cheia de exemplos assim! Em Gênesis, a história de José, que foi vendido como escravo pelos próprios irmãos, mas, depois de alguns anos, foi usado por Deus para governar o Egito! De qual outra história como essa você consegue se lembrar? Conte a alguém hoje.

Deus Pai é único

10

1Reis 18.36-45,
Salmos 139.14

Olá, amigo, pronto para mais um dia de aprendizado? Nós já aprendemos que Deus Pai é infinito, ilimitado, bom, justo, misericordioso, cheio de graça, onipresente, santo, perfeito... ufa! Até perdi a conta. O mais legal de tudo é saber que Deus ainda é mais um montão de outras coisas que vamos aprender nos próximos dias. Dá para acreditar que a Bíblia nos traz tantas informações assim sobre Deus? É por isso que devemos ler todos os dias.

Além de nos ensinar muitas coisas importantes sobre Deus, a Bíblia também traz muitas histórias por meio das quais podemos aprender mais sobre ele. Uma história de que gosto muito é a do profeta Elias, você já ouviu falar dele? Elias era um homem que Deus usava para falar com as pessoas. Sabe quando você passa um recado para alguém? (Por exemplo, quando você esquece de passar o recado da professora e avisa sua mãe, no domingo, que precisa levar uma cartolina para a escola na segunda-feira!) Os profetas faziam a mesma coisa, mas o recado que eles passavam vinha do próprio Deus.

Naquele tempo, as pessoas haviam se esquecido de Deus e não o adoravam como deveriam. Muitos, inclusive, nem o conheciam e, por isso, acreditavam que certos objetos, como pedras e rochas, poderiam ouvi-las e ajudá-las! Sabe do que isso me lembra? Da brincadeira da estátua. Você gosta de brincar disso? Eu também!

Quando a música toca, todo mundo se mexe, mas, quando alguém fala *Estátua!*, cada um para de um jeito, e não vale se mexer! As imagens que o povo do tempo de Elias adorava eram assim. Elas tinham boca, mas não falavam; tinham olhos, mas não viam; tinham ouvidos, mas não ouviam; tinham braços e pernas, mas não se mexiam. Eram estátuas sem vida, muito diferente do nosso Deus, que é vivo e todo-poderoso! E como não existe ninguém como ele, a Bíblia nos diz que Deus é único.

Era muito importante que as pessoas soubessem que só existe um Deus verdadeiro; por isso, Deus pediu que Elias fosse até lá dar esse recado para o povo. E como Elias era um homem muito esperto, teve uma grande ideia: ele propôs um desafio para saber quem era mais poderoso, se era Deus ou uma estátua que o povo adorava, que se chamava Baal.

A proposta dele foi a seguinte: cada um deveria fazer um altar. Em um desses altares, Elias oraria para Deus; no outro, aquelas pessoas orariam para Baal. O deus que respondesse à oração enviando fogo do céu seria o verdadeiro. Elias tinha tanta certeza que Deus iria responder a sua oração que, antes de começar, ele cavou um buraco bem fundo e encheu de água! Elias estava prestes a pedir a Deus que colocasse fogo no altar feito com água!

Então, eles começaram, e eu acho que você deve imaginar o que aconteceu, né? As pessoas que acreditavam em Baal fizeram de tudo: pularam, dançaram e gritaram até cansar, mas nada aconteceu. Todavia, quando Elias orou, o fogo desceu do céu na mesma hora! O fogo que desceu do céu era tão grande que secou toda aquela água e ainda queimou o altar, a lenha, a terra e tudo o mais que havia ali. E foi assim que Elias mostrou para aquelas pessoas que o Senhor era o Deus verdadeiro, e o povo entendeu que ele era o único Deus que deveria ser adorado.

Oração

Deus, é muito bom saber que sou filho de um Pai tão poderoso e único como tu! Assim como tu usaste Elias para mostrar ao povo que és único, que eu possa, com a minha vida, mostrar o teu amor e poder a quem ainda não te conhece. Amém.

No devocional de hoje, vimos que, no tempo de Elias, muitas pessoas não acreditavam em Deus e adoravam a ídolos, mas você sabia que isso acontece ainda hoje? Hoje em dia, as pessoas costumam amar muitas outras coisas que não são o verdadeiro Deus: pode ser um jogador de futebol, um cantor, um influenciador famoso do TikTok, algum brinquedo... Quando qualquer coisa no mundo ocupa em nosso coração o lugar que deveria ser de Deus, isso se torna um ídolo, um deus falso. A quem você adora? Há algo, ou alguém, que tem sido prioridade na sua vida em vez de Deus? Use seu tempo hoje para adorar a Deus.

Deus Pai é trino

11

1João 5.7, Mateus 28.19

Olá, amigo, é sempre bom encontrar você por aqui! O devocional de hoje vai dar um nó na sua cabeça, mas vai ensinar algo muito legal sobre Deus: além de ser único, como vimos no estudo de ontem, Deus também é três em um! Consegue imaginar isso? Calma que eu vou explicar.

Imagine uma fruta de que você gosta. Eu, por exemplo, gosto muito de laranja! Uma fruta é uma coisa só, mas que tem três partes: a casca, a polpa e as sementes. Assim como a fruta, Deus, que é um, também é três: Deus Pai, que está no céu e nos criou; Deus Filho, Jesus Cristo, que veio ao mundo para nos salvar; e Deus Espírito Santo, que está em nosso coração e é nosso conselheiro. Isso não significa que Deus se divide em três partes e que cada uma delas é um pedacinho de Deus, como uma barra de chocolate que a gente divide com os amigos. Não! Cada uma dessas pessoas é Deus inteiro, e por mais que isso seja um pouco difícil de entender, você se lembra do que aprendemos nos dois primeiros devocionais desta nossa jornada? Naqueles estudos, nós vimos que Deus é infinito e ilimitado, ou seja, seu poder é tão grande que não podemos medir nem entender por completo.

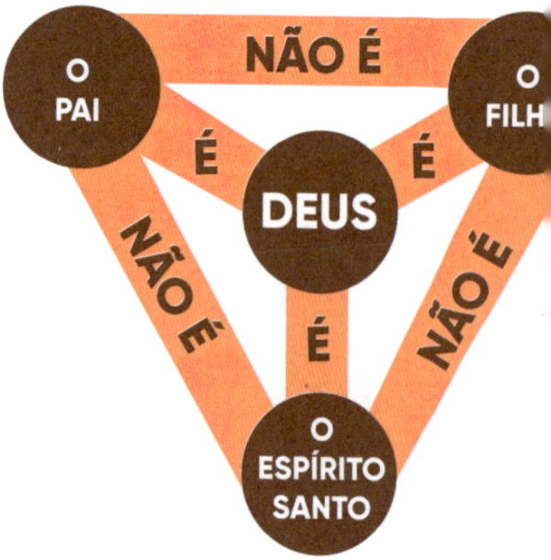

A Bíblia nos diz que nada nem ninguém chega perto de ser como Deus e que não há nada a que possamos compará-lo. Você acredita que Deus está sentado muito acima do globo terrestre? Pois é o que está escrito em Isaías 40.22! Agora eu pergunto: como é que nós, que somos tão limitados, podemos entender um Deus tão grande assim? Não podemos, né? Mas mesmo que a trindade seja algo sobre Deus que a nossa mente não consiga entender totalmente, nós podemos confiar que o Deus que tudo sabe tem tudo sob o seu controle, e podemos descansar em seu poder e amor!

Ah, sabe a fruta de que estávamos falando? Eu disse a você que ela tem três partes, mas o que eu não disse é que cada parte tem uma função. Da mesma forma, cada uma das pessoas da trindade tem uma tarefa diferente. Assim como a polpa da fruta serve para nos alimentar, Deus Pai nos proporciona alimento por sua Palavra. Assim como a semente precisa morrer para gerar um novo fruto, Deus Filho, Jesus, precisou morrer na cruz para que os nossos pecados fossem perdoados. E assim como a casca protege a fruta, Deus Espírito Santo vive em nosso coração para nos proteger e ajudar.

Deus é o Deus que nos criou, o Deus que nos salva e o Deus que nos ajuda. Pai, Filho e Espírito Santo formam o único Deus verdadeiro a quem devemos toda honra e toda glória!

Oração

Deus, eu estou confuso! Na lição de ontem, eu aprendi que tu és único, mas hoje eu descobri que tu também és três! Mas sabe, Deus, mesmo que isso pareça um pouco difícil de entender, isso me mostra que tu és um Deus muito poderoso. Obrigado por me criar, por enviar seu filho Jesus para me salvar e por viver em meu coração.

No devocional de hoje, aprendemos que Deus é, ao mesmo tempo, Pai, Filho e Espírito Santo. E para ilustrar o que estudamos hoje, você vai precisar de uma jarra com água, três copos e da ajuda de um adulto. Imagine que a água é Deus. Agora, coloque um pouco de água em cada um dos copos, que representam Deus Pai, Deus Filho e Deus Espírito Santo. Veja como as três pessoas da trindade (copos) continuam sendo Deus (água). Agora volte a água de cada copo para a jarra. Há alguma diferença entre as águas colocadas na jarra? Você consegue distinguir qual água é de qual copo? Seja na jarra ou nos copos, a água é uma só. Da mesma forma, as três pessoas da trindade, separadas, continuam sendo Deus!

12

Deus Pai é sábio

1Reis 3.4-14, Tiago 3.17, Provérbios 3.13,14,17

Olá, amigo, aqui estamos outra vez! Sabe, hoje eu estive pensando em uma coisa que gostaria muito de perguntar a você: se você pudesse pedir uma única coisa a Deus, o que seria? Pode ser o que você quiser, faz de conta que estamos falando do gênio da lâmpada que vai realizar qualquer desejo!

Seria muito legal ter qualquer desejo realizado na hora, não é mesmo? Mas você sabia que isso já aconteceu de verdade? Pois é! A Bíblia nos conta que, certo dia, Deus apareceu em sonho a um rei chamado Salomão e lhe disse que ele poderia pedir o que quisesse, qualquer coisa mesmo. E sabe o que ele pediu? Sabedoria para governar bem. A Bíblia também nos conta que Deus ficou tão feliz com esse pedido que fez de Salomão o homem mais sábio que já existiu!

Ah, deixa eu explicar uma coisa: sabedoria não é o mesmo que inteligência, viu? Uma pessoa inteligente é aquela que sempre tira boas notas na escola, que sabe resolver na moleza qualquer exercício de matemática e que estudou bastante mais um montão de outras coisas. Já uma pessoa sábia é aquela que toma boas decisões na vida e, principalmente, faz escolhas que agradam a Deus.

Quando Salomão pediu a Deus sabedoria, foi isso o que ele quis dizer. Ele queria ter um coração sábio para entender bem a diferença entre o bem e o mal e, assim, ser um bom governante, como o pai dele, Davi, também tinha sido por ser temente a Deus. Então, por ser obediente a Deus, Salomão se tornou tão sábio que soube cuidar muito bem de todo o povo de Israel, e até construiu um templo bem grande para Deus, para que todos pudessem adorá-lo.

Salomão foi um rei que amou a Deus e, no livro de Provérbios, ele nos conta sobre esse amor e sobre toda a sabedoria que o Senhor deu a ele. Sabedoria é uma coisa muito importante para se pedir a Deus. Se a gente pudesse pedir qualquer coisa para Deus, sabendo que ele iria realizar na hora, o melhor pedido de todos seria este: entender a Palavra de Deus e andar de acordo com o que ela ensina. O que mais a gente poderia querer?

Oração

Deus, ajuda-me a ser sábio como Salomão! Que eu possa sempre ir à igreja para aprender mais da tua Palavra, saber a diferença entre o que é certo e o que é errado, entender as histórias da Bíblia e guardar os teus ensinamentos no meu coração. Amém.

Sabedoria é algo tão precioso que a Bíblia nos diz que ela vale mais do que muitas riquezas! Ter dinheiro é algo muito bom, mas nem todo o dinheiro do mundo é capaz de nos proporcionar a segurança, a paz e a felicidade que a sabedoria de Deus nos dá. A sabedoria abre portas que a riqueza jamais abrirá, e por isso Salomão a escolheu. Há muitas formas de ser sábio. Somos sábios quando obedecemos aos nossos pais, quando perdoamos quem nos chateou, quando não fazemos fofoca e não falamos mal de alguém. De que forma você utiliza a sabedoria que Deus concede a você? Desenhe e pinte um quadro (pode ser em uma folha mesmo) mostrando uma atitude sábia.

13

Deus Pai é fiel

Gênesis 37.18-27, 39.11-23, Salmos 18.25,26

Olá, amigo, *vem cá*! O tema do nosso devocional de hoje me fez lembrar de uma história da Bíblia que comentei quando estudamos sobre a perfeição de Deus. Você se lembra qual é? Se pensou em José do Egito, acertou! No devocional daquele dia, nós vimos que, por Deus ser perfeito, os caminhos dele são perfeitos também, mas nem sempre nos lembramos disso. Às vezes, ficamos chateados porque algo não aconteceu como a gente gostaria e, algum tempo depois, entendemos que foi melhor assim. A história de José é um exemplo disso, mas também é um exemplo da fidelidade de Deus.

Você já leu o texto de hoje? Em Gênesis, vemos que José foi vendido como escravo por seus irmãos, foi mandado para a prisão por um crime que não cometeu e, mesmo assim, ele continuou fiel ao Senhor porque o Senhor era fiel a ele. José sabia que, quando Deus faz uma promessa, podemos ter certeza que ele vai cumprir o que disse, mesmo quando a gente acha que não.

E acredite: José passou, sim, por momentos em que achou que Deus havia se esquecido dele. Você também não acharia isso se, de repente, seus irmãos resolvessem se livrar de você, ou se você fosse acusado de ter feito algo que não fez? Pois é. A história de José também nos ensina que, mesmo que sejamos obedientes a Deus, a vida nem sempre será fácil e nem sempre será justa. Mas calma aí, porque isso não significa que não adianta obedecer a Deus!

A verdade é que adianta muito e, lembrando da lição que vimos ontem, é a decisão mais sábia que podemos tomar. Lembra do que já estudamos sobre a justiça de Deus? Enquanto foi escravo e depois quando foi para a prisão, José se lembrou de que, apesar de estar sofrendo uma injustiça, ele poderia confiar na justiça de Deus. Está tudo bem ficar triste ou com medo, pois nós somos seres humanos e Deus nos fez com esses sentimentos, mas a Bíblia nos diz que o choro pode durar uma noite, mas a alegria vem de manhã.

E a alegria chegou para José quando, enfim, as promessas de Deus se cumpriram na vida dele. No tempo perfeito de Deus, José conquistou a confiança do faraó, tornando-se seu braço direito e primeiro-ministro do Egito. Isso significa que o faraó confiava tanto em José que deu a ele autoridade para governar sobre o povo e para tomar decisões importantes. E olha só que interessante: nessa época, a fome se agravou em todo o país, e não demorou até que todos os povos fossem comprar alimentos com José, que havia guardado muita comida durante os tempos de fartura. Quando Jacó, pai de José, ficou sabendo que havia alimento no Egito, disse a seus filhos para irem até lá, e quando eles se reencontraram, José pôde perdoar seus irmãos e prover alimento para eles, mostrando que Deus recompensa a fidelidade de quem obedece a seus mandamentos.

Deus, obrigado por tua fidelidade! Sei que, por ser um pecador, eu nem sempre vou conseguir ser fiel como tu és, e haverá momentos em que eu ficarei triste, com medo ou achando que tu te esqueceste de mim. Mas que eu possa, nessas horas, me lembrar da história de José e saber que tu és fiel para cumprir tudo o que disseste que faria. Amém.

A Bíblia está cheia de histórias que nos contam sobre a fidelidade de Deus. Em Gênesis, por exemplo, além da história de José, também temos a história de Abraão, que recebeu de Deus a promessa de que seria pai de uma grande nação. Só tinha um problema: Abraão não tinha filhos e ele e sua esposa já eram bem velhinhos. Mas, como Deus nunca promete algo que não vai cumprir, o Senhor deu a eles um filho que foi chamado de Isaque, que significa "o filho da promessa"! De que outras histórias como essa você consegue se lembrar?

Deus Pai nos ensina a confiar nele

14

Salmos 37.3-8, Romanos 8.28, Jó 1—42

Olá, amigo, que bom que você está firme nesta jornada de conhecimento de Deus! Quanto mais conhecemos a Deus, mais podemos confiar nele. O nosso estudo de hoje vai falar exatamente sobre isto: a confiança.

Confiar em uma pessoa não é uma tarefa muito fácil, não é verdade? Agora, quando falamos de Deus, a coisa muda de figura, pois se tem uma pessoa que é digna da nossa confiança, essa pessoa é o próprio Deus!

E sabe por que nós podemos confiar em Deus? Porque ele não mente, ele sempre cumpre o que promete (lembra-se da lição de ontem?) e nunca nos abandona — isso só para resumir bem, porque eu poderia passar hoooooras falando de todas as outras milhares de qualidades que Deus tem e que nos fazem ter a certeza de que podemos confiar nele! Em vez disso, vou contar a história de um personagem da Bíblia que, mesmo perdendo tudo o que tinha de mais precioso na vida, não deixou de confiar em Deus em momento algum. Sabe de quem estou falando? De um homem chamado Jó.

Jó era um homem muito temente a Deus e, por isso, fazia de tudo para que o Senhor sempre se alegrasse com ele. Ele tinha sete filhos e três filhas, e também era muito rico. A Bíblia nos diz que Jó era o homem mais importante de todo o Oriente e que não havia ninguém como ele! Jó era honesto, leal a Deus e odiava a maldade.

Por causa disso, Satanás, o Inimigo de Deus, estava de olho em Jó já fazia algum tempo. Certo dia, ele fez para Deus a seguinte pergunta: "O que aconteceria se Jó perdesse tudo o que tem? Tenho certeza de que ele nunca mais iria querer saber de ti!". Mas Deus, que conhecia Jó muito melhor do que Satanás, disse a ele o seguinte: "Duvido que isso vai acontecer, eu confio em Jó! Quer apostar? Você pode fazer o que quiser com tudo o que ele tem, só não o mate". E então Satanás saiu da presença de Deus para começar a agir.

Depois dessa conversa que Deus e Satanás tiveram, coisas ruins começaram a acontecer com Jó. Seu gado foi roubado e praticamente todas as pessoas que trabalhavam para ele foram mortas. Também roubaram seus camelos e um raio que caiu do céu matou todas as suas ovelhas e os pastores que cuidavam delas.

Só isso já seria o suficiente, não é? Mas não parou por aí. Aconteceu uma ventania tão forte, mas tão forte, que a casa onde os filhos de Jó estavam foi derrubada e todos eles morreram! Você consegue imaginar o tamanho da tristeza de Jó? Ele com certeza estava sofrendo muito, mesmo assim, louvava ao Senhor!

E sabe o que mais aconteceu a Jó? Ele ficou muito doente e cheio de feridas no corpo. Ninguém aguentava mais ver

Jó sofrer tanto daquele jeito, mas ele se manteve firme, pois confiava que Deus iria ajudá-lo. E assim aconteceu! Satanás fez que Jó perdesse tudo, seus bens, seus filhos e até a saúde, mas a única coisa que ele não conseguiu tirar de Jó foi a confiança em Deus.

Bem que Deus tinha razão, não é verdade? E ao ver que Jó continuou confiando nele apesar de tudo o que sofreu, Deus, como recompensa, restituiu a Jó o dobro de tudo o que ele tinha! E Jó continuou a viver sua vida para honra e glória do Senhor.

Oração

Deus, me ensine a confiar em ti assim como Jó confiou! Eu confesso que não quero sofrer o tanto que ele sofreu, mas sempre que eu passar por alguma dificuldade, que eu possa me lembrar de que tu estás sempre comigo e, por isso, eu posso confiar em ti. Amém.

Sabe, a história de Jó nos ensina uma coisa interessante: algumas vezes, vamos passar por dificuldades e vai parecer que Deus está em silêncio, pois, por mais que a gente ore, as coisas não mudam. Foi o que aconteceu com Jó, sabia? Ele não deixou de orar em meio ao sofrimento. Você consegue se lembrar de outros personagens da Bíblia que confiaram em Deus assim como Jó?

15

Deus Pai é a fonte da vida

João 3.16, 7.37, 6.53-58

Olá, amigo, que bom encontrar você! Sabe o que eu estou achando mais legal destes dias de estudo? É que além de conhecer mais sobre Deus, eu também estou conhecendo mais sobre você! E você também está conhecendo um pouco mais sobre mim, porque nós dois pudemos falar sobre muitas coisas de que gostamos, não é verdade? Mas sabe, percebi que faltou eu perguntar uma coisa: quando está com fome, o que você mais gosta de comer? Aqui em casa, minha mãe faz tantas coisas gostosas que fica difícil escolher uma só! É assim aí também?

Ah, mas eu não estou falando de guloseimas, não! Eu sei que todo mundo gosta de comer uma bobeirinha de vez em quando, como um bolo, um doce, uma pizza... mas todas essas coisas, por mais gostosas que sejam (e sim, eu também gosto de todas elas!), não nos alimentam de verdade. Elas até podem encher a barriga, mas não têm todos os nutrientes de que precisamos para nos manter fortes e saudáveis.

Assim como o nosso corpo precisa de alimento saudável para se manter forte, a nossa alma também precisa ser alimentada, e os melhores nutrientes que podemos oferecer a ela estão na Palavra de Deus. Quanto mais lemos a Bíblia, mais fortalecidos nós ficamos, pois ela tem tudo de que nossa alma mais precisa: o Pão do céu! Quem dele se alimenta viverá para sempre.

Você sabe de quem estou falando? Vou dar uma pista: por meio dele, temos a vida eterna. Isso mesmo, estou falando de Jesus! A Bíblia nos diz que quem tiver um desejo sincero pela comida e bebida que ele nos oferece obterá a vida eterna e estará pronto para o dia final. Sua carne é a verdadeira comida e seu sangue é a verdadeira bebida. Isso faz que você se lembre de alguma coisa? Se você falou da ceia do Senhor, acertou!

Você já reparou que na igreja é servido pão e vinho para a congregação? Esse momento é a celebração da ceia do Senhor, que é o tempinho que a igreja separa para se lembrar do sacrifício de Jesus na cruz e agradecer por isso. O pão representa o corpo de Cristo, e o vinho, seu sangue derramado. Sabe por que essa representação é feita com alimentos? Porque assim como nós precisamos nos alimentar para viver, nossa alma precisa de Jesus, que, por ser o pão da vida, é a fonte da vida eterna!

Na Bíblia, Jesus nos diz que, ao comermos de sua carne e bebermos de seu sangue, estaremos nele e ele estará em nós. Isso significa que seremos um com o Pai, e isso acontece quando convidamos Jesus para morar em nosso coração. O sacrífico de Cristo na cruz nos livrou de todo o pecado.

O Pão de Deus desceu do céu para dar vida ao mundo, e qualquer um que dele comer viverá para sempre. Sirva-se!

Deus, obrigado por suprir todas as minhas necessidades e nunca me deixar faltar o alimento físico e o espiritual. Que eu possa ser sempre grato pelo alimento que mantém meu corpo vivo, mas mais grato ainda pelo alimento que é a fonte da vida eterna: Jesus, o pão da vida! Amém.

No devocional de hoje, nós aprendemos que Jesus é o pão da vida, o pão do céu que o próprio Deus oferece a nós. Nós também vimos que quem se alimenta desse pão nunca mais terá fome ou sede, pois sua alma será alimentada, mas eu confesso que toda essa conversa de alimentos me deu uma fome... Você também? Então vamos aproveitar este momento para alimentar o nosso corpo físico e, assim, nos lembrarmos da importância de alimentar a nossa alma! Peça a ajuda de adultos para preparar uma refeição bem gostosa e que lembre você do sacrifício de Jesus. Que tal um lanche (já que falamos tanto de pão) com um suco de uva? Bom apetite!

Deus Pai cuida de nós

16

Romanos 8.28, Daniel 6

Olá, amigo! Espero que, depois do estudo de ontem, você esteja com as energias renovadas para mais um dia de devocional! Até aqui, nós vimos muitas características interessantes sobre Deus, e até estudamos a história de alguns personagens da Bíblia que nos ensinaram muito com o seu exemplo de fé e temor a Deus. Nós vimos como Jó confiou em Deus apesar das circunstâncias, como José foi fiel a Deus em todo o tempo, como Salomão foi sábio e como Elias mostrou ao povo que o Senhor era o único Deus verdadeiro. Quanta coisa, não é? Mas ainda temos muito mais a aprender, e hoje você vai ver o quanto a história de Daniel tem para nos ensinar.

Daniel era um homem temente a Deus e que orava sempre. A Bíblia nos diz que ele orava três vezes ao dia! De manhã, de tarde e de noite, ele se ajoelhava na janela de sua casa e louvava a Deus. Até aí nenhum problema, se não fosse por um pequeno detalhe: o rei que estava governando na época, Dario, fez um decreto que dizia o seguinte: durante os próximos trinta dias, ninguém deveria adorar a nenhum outro deus ou homem, somente ao rei. Quem desobedecesse seria lançado na cova dos leões!

Será que Daniel sabia disso? Com toda a certeza, pois ele trabalhava para o rei, mas, para ele, mais importante do que obedecer ao decreto do rei Dario era obedecer ao Rei do Universo e, por isso, ele se manteve firme em seu propósito de adorar a Deus o tempo todo e não se intimidou. Ele nem se preocupou em orar escondido! Em vez disso, continuou orando diante de sua janela, como sempre fez.

E como a janela ficava aberta, algumas pessoas viram e contaram para o rei que Daniel não estava obedecendo ao decreto que ele havia assinado. Isso significava que Daniel deveria ser lançado na cova dos leões. O rei Dario, apesar de ser muito soberbo, gostava muito de Daniel e, por isso, ficou muito preocupado com ele. Ele até tentou dar um jeito de livrar Daniel do destino que o esperava, mas como aquela era uma lei que precisava ser respeitada, Daniel foi enviado à cova dos leões. Antes disso, porém, o rei disse o seguinte para Daniel: "Seu Deus, a quem você é tão leal, vai livrar você desta situação". Olha só que curioso! Quem poderia imaginar que o rei, que não acreditava em Deus, diria uma coisa dessas...

Depois que Daniel foi colocado na cova dos leões, o rei voltou para o palácio e passou a noite preocupado, pensando em Daniel. Será que Deus cuidaria dele ali, no meio de tantos leões famintos? O que você acha?

No dia seguinte, o rei levantou bem cedinho e foi correndo ter notícias de Daniel. Quando chegou perto da cova, ele perguntou: "Daniel, você ainda está vivo? O Deus a quem você serve com tanta fidelidade te salvou?". Dario estava realmente preocupado, mas logo ouviu a resposta que o deixou muito feliz: "Sim, estou aqui! Meu Deus enviou seu anjo, que fechou a boca dos leões, para que não me fizessem nenhum mal". Que notícia maravilhosa! Deus cuidou de Daniel quando parecia não haver como escapar do perigo. O rei mandou tirarem Daniel dali e viu com seus próprios olhos que ele não tinha sofrido um arranhão sequer. Então, o rei Dario passou a acreditar no Deus vivo, pois viu que ele protegeu Daniel.

Oração

Deus, obrigado porque, assim como cuidaste de Daniel na cova dos leões, tu também cuidas de mim. Que eu possa sempre te adorar e louvar o teu nome sem medo de nada, pois tu estarás sempre comigo e me guardarás de todo o mal. Amém.

No devocional de hoje, vimos que Daniel orava três vezes ao dia. Será que você consegue fazer o mesmo? Vamos tentar! Peça à sua mãe um pote para ser usado como o potinho da oração. Então, escreva em um pedaço de papel o nome de uma pessoa por quem você deseja orar, ou algum pedido especial, dobre e encha esse potinho com pedidos diversos. Você pode pedir aos seus pais que o ajudem com sugestões. Então, três vezes ao dia, escolha um pedido do potinho e ore por ele. Tente fazer isso por uma semana; tenho certeza que você vai gostar da experiência!

17

Deus Pai é soberano

Salmos 33.10,11, Jeremias 18.1-12, Filipenses 2.10,11

Olá, amigo, estou feliz em encontrar você outra vez! Tem sido muito legal conhecer mais sobre Deus por meio dos personagens da Bíblia, não é mesmo? Ontem vimos, com a história de Daniel, que Deus Pai sempre cuida de nós, mas sabe por que isso é tão especial? Porque somos cuidados por um Deus que controla o mundo todo! Não é demais? Isso significa que Deus Pai é soberano.

Tudo o que existe está debaixo do poder de Deus, e isso inclui você e eu. Isso quer dizer que, se Deus controla tudo, ele também controla a nossa vida, ou seja, é autoridade sobre nós. Mas calma aí, não pense que isso quer dizer que a autoridade do seu pai e da sua mãe não é importante, pois isso está errado! Quando somos crianças, muitas pessoas são responsáveis por nós, como os nossos pais, nossos professores ou outro adulto de confiança, e Deus coloca essas pessoas em nossa vida para cuidar de nós e nos ensinar a respeitar as autoridades. Então, quando respeitamos os mais velhos, Deus se alegra conosco.

Aposto que você estava pensando que autoridade é uma pessoa que ocupa um cargo importante, como o presidente da República, um governador ou algo do tipo, mas não é bem assim. Autoridade é qualquer pessoa que tenha o poder de ordenar e se fazer obedecer, e é por isso que todas as pessoas de quem falei são autoridades sobre nós. Mas, ei, não fique aí pensando que será assim para sempre porque um dia você vai crescer. E, quando você se tornar um adulto, a quantidade de pessoas que são autoridade sobre você diminui, mas tem um nome que nunca sairá dessa lista, você sabe qual é?

Sim, é claro que estou falando do nosso Deus soberano! Ele está acima de você, dos seus pais, dos professores e até mesmo do presidente e do governador! Ele é a autoridade maior, porque criou todas as coisas e é totalmente responsável pela criação. Não poderia haver ninguém melhor do que Deus para estar no comando de tudo, afinal de contas, ele é infinito, ilimitado, bom, justo, misericordioso, cheio de graça, onipresente, santo, perfeito, único, trino, sábio, fiel, fonte da vida — e a lista só vai aumentar nos próximos dias!

Deus é tudo isso e mais um pouco, e a única coisa que ele espera de nós é obediência a ele e às autoridades que ele colocou sobre nós. É, eu sei que às vezes é difícil limpar o quarto quando a nossa mãe pede (e na hora que ela pede!) ou parar de conversar quando a professora pede silêncio, mas obedecer aos adultos que cuidam de nós é uma forma de aprendermos a obedecer a Deus e nos submeter à autoridade dele. Nossa vida está nas mãos do Deus que sabe o que é melhor para nós!

Deus soberano, obrigado por estar no controle da minha vida. Que eu possa ser sempre obediente aos adultos que cuidam de mim, para que, obedecendo a eles, eu aprenda a obedecer a ti e a confiar minha vida a ti. Amém.

Ei, sabia que o nosso estudo de hoje me fez lembrar de outro profeta da Bíblia? Jeremias foi um homem que teve uma missão muito importante. Deus pediu a ele para ir à casa do oleiro, que é a pessoa que faz vasos de argila, para lhe ensinar uma lição importante. Quando chegou lá, Jeremias viu que o oleiro estava trabalhando em um novo vaso, mas se a peça não ficava do jeito que queria, ele a desmanchava e começava tudo de novo. Ali, Jeremias entendeu que Deus poderia fazer a mesma coisa com a gente: assim como oleiro molda o vaso, Deus nos molda, porque é soberano e está no controle de tudo. Era essa a mensagem que ele queria que Jeremias transmitisse ao povo. E, para que você se lembre que somos como vasos nas mãos do Oleiro, o que acha de fazer uma escultura bem bonita? Use um pedaço de massinha ou argila e solte a imaginação!

18

Salmos 19.14, Provérbios 21.23

Deus Pai nos fala com amor

Olá, amigo, bem-vindo a mais um dia de estudo! Eu estou muito animado para o nosso devocional de hoje, porque, enquanto me preparava para encontrar você, eu estava pensando no tanto de coisas boas que aprendemos sobre Deus e em como, ainda assim, existe muita gente por aí que só reclama. Conhece alguém assim? Ou será que você é essa pessoa?

Deus não se agrada de quem só sabe resmungar ou de quem não tem cuidado com o que diz, pois a Bíblia nos ensina que devemos mostrar o amor de Deus em tudo o que fazemos, e isso inclui nossas palavras. Sabe aquela pessoa que diz que é sincera e, por isso, fala o que tiver para falar, doa a quem doer? Pessoas assim não demonstram o caráter de Cristo, pois Jesus era bondoso e compassivo em todas as suas ações! Ele é o amor na forma de uma pessoa.

Quando agimos sem amor, perdemos a razão e, pior que isso, pecamos. Uma pessoa que só sabe reclamar não consegue ser grata por tudo o que Deus faz. Além disso, ela também acaba magoando as pessoas que só querem o seu bem.

A Bíblia nos diz que somos sal da terra e luz do mundo, mas você sabe o que isso quer dizer? Significa que, assim como o sal dá sabor à comida e a luz ilumina os lugares escuros, nós devemos fazer a diferença no mundo, e isso só é possível com as nossas atitudes. Quando falamos aos outros com amor, estamos, com as nossas palavras, transmitindo o amor de Deus.

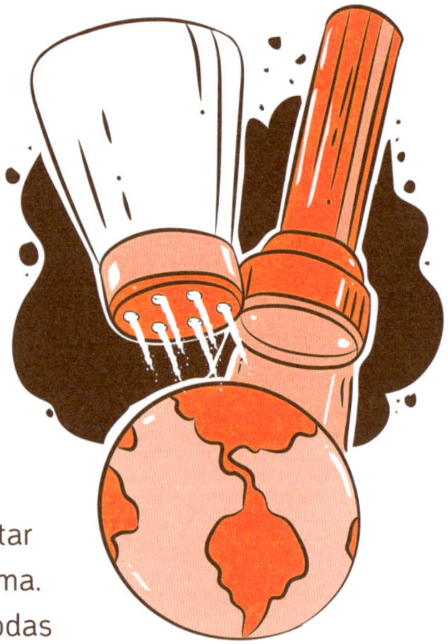

Já aconteceu de você se sentir triste por algum motivo e, ao orar pedindo para Deus consolar o seu coração, você sentir como se ele carregasse você no colo ou abraçasse você com todo o amor? Isso acontece porque Deus nos ama tanto, que nos trata com o maior carinho, e é por isso que devemos tratar as pessoas da mesma forma. O Deus soberano, que criou todas as coisas, não criou a nossa boca para falar coisas feias, mas para falar de seu amor e abençoar o próximo. Toda ação amorosa que praticarmos ecoará pela eternidade. Se você deseja deixar um legado aqui nesta terra, o amor é o maior deles!

Deus, obrigado por sempre falar comigo com amor. Eu confesso que nem sempre consigo ser assim com os outros, mas desejo, de agora em diante, ser mais cuidadoso com as coisas que eu digo e parar de reclamar. Que as minhas palavras sejam sempre agradáveis a ti e que eu possa demonstrar o teu amor em tudo o que eu falar. Amém.

O que você achou da nossa lição de hoje? Eu achei desafiadora! Falar aos outros com amor, assim como Deus fala conosco, é uma tarefa bem difícil, mas, se fosse impossível, não seria algo que ele nos pediria para fazer, não é verdade? Mas, para que as nossas palavras sejam sempre agradáveis a Deus e abençoem as pessoas, é preciso praticar, e nada melhor do que começar com a nossa família, concorda? Por isso, proponho um desafio: esta semana você vai fazer um elogio para cada pessoa da sua casa. Já pensou no quanto a sua mãe ficará feliz se você demonstrar gratidão pela comida que ela preparou com tanto carinho? E o seu pai, que mesmo trabalhando bastante, sempre encontra um tempinho para brincar com você; que tal agradecer a ele por isso? Comece hoje mesmo!

19

Deus Pai se relaciona conosco

Gênesis 3.8, 1Pedro 5.7

Olá, amigo, estamos quase na metade da nossa jornada! É sempre muito bom aprender mais de Deus com você e ouvir o que ele tem a nos dizer por meio destes devocionais. Todo dia eu descubro algo novo, e você? Quando estamos abertos a um relacionamento com Deus, ele tem muito a nos ensinar!

Sabia que no jardim do Éden era assim? Deus se relacionava com Adão e Eva pessoalmente, e ensinava muitas coisas a eles, mas, quando o pecado entrou no mundo, isso infelizmente se perdeu, e, em vez de buscarem a Deus, o homem e a mulher fugiram dele! A Bíblia nos diz que, quando Adão e Eva escutaram o som do Eterno passeando pelo jardim, na hora da brisa da tarde, eles se esconderam entre as árvores, pois não queriam se encontrar com Deus.

Você consegue imaginar isso? O próprio Deus estava andando pelo jardim, mas Adão e Eva queriam mais é que ele estivesse bem longe dali, porque estavam nus e, por isso, ficaram com medo de estar em sua presença e se esconderam. A gente vê essa história e fica chateado com Adão e Eva, pois sabemos que eles agiram assim porque haviam pecado, mas a verdade é que a gente faz a mesma coisa algumas vezes.

Deixamos de nos relacionar com Deus quando paramos de buscar por sua presença. Isso acontece quando deixamos de ler a Bíblia, de buscar a Deus em oração e de confessar nossos pecados a ele. Assim como Adão e Eva, a gente fica com medo de levar uma bronca de Deus e, em vez de vivermos livre de preocupações na presença do Pai, nós carregamos conosco o peso de um fardo que o próprio Deus diz que deveríamos lançar aos pés da cruz.

Mas sabe de uma coisa? Deus deseja ter um relacionamento com você, e ele deseja isso todos os dias. O Senhor está sempre pronto a nos ouvir, porque quer que a gente possa desfrutar da sua presença, para que ele possa, então, conhecer os desejos mais profundos do nosso coração.

Ah, mas antes que você pense que Deus não sabe o que existe em nosso coração, já aviso que ele sabe de todas as coisas e, por isso, não há nada que possamos esconder dele. Mas Deus se importa tanto com a gente que, mesmo assim, está muito interessado em ouvir tudo o que tivermos para compartilhar. Sabe aquele amigo para quem você confia o seu maior segredo? Deus é ainda melhor! Portanto, não tenha medo de se relacionar com o Pai. Jesus já se entregou totalmente, se fez carne, morreu na cruz por nós, ressuscitou e hoje vive em nosso coração; e tudo isso só para se relacionar com você! Se isso não é amor, então eu não sei o que é.

Deus, obrigado por nunca desistir de mim! Mesmo eu não merecendo, tu te entregaste por completo para ter um relacionamento comigo. Que eu possa valorizar isso todos os dias e me relacionar contigo diariamente. Já que eu tenho tempo para me relacionar com os meus amigos, também posso ter tempo para me relacionar com o melhor de todos, que és tu! Amém.

Deus nos ama tanto que não desistiu de ter um relacionamento conosco! Adão e Eva pecaram, mas nós ainda podemos ver, na Bíblia, Deus se relacionando com pessoas como Abel, Enoque, Noé, Abraão, Isaque, Jacó, José, Moisés, com o povo de Israel e, hoje, comigo e com você. Isso tudo porque ele nos ama e nos quer sempre perto dele. Você tem sido um bom amigo para Deus, assim como ele é para você? Esta semana, separe um tempinho do seu dia, todos os dias, para conversar mais com o Senhor. Tenho certeza de que, quando você começar a dar mais atenção para o seu relacionamento com ele, não vai mais querer parar!

20

Deus Pai é nossa força

Salmos 121.1,2, Neemias 8.10, 1Samuel 17

Olá, amigo, preparado para o estudo de hoje? Até o momento, nós pudemos aprender muitas coisas legais sobre Deus, não é verdade? Nem dá para acreditar no tanto de coisas que já vimos até aqui, e mal posso esperar pelo que vamos ver nos próximos dias!

Você sabe outro atributo incrível que Deus tem? A força! A Bíblia nos traz muitas histórias sobre a força de Deus e sobre pessoas que ele usou para derrotar inimigos muito poderosos. Uma dessas histórias é sobre Davi, e aconteceu muito antes de ele se tornar rei.

Quando ainda era menino, Davi era um pastor de ovelhas que cuidava do rebanho de seu pai. Seus irmãos, que eram mais velhos do que ele, eram soldados muito corajosos que trabalhavam para proteger o povo. Certo dia, o pai de Davi pediu que ele fosse levar comida para seus irmãos, e, quando chegou lá, o menino se deparou com um soldado gigante chamado Golias, que era da tropa inimiga. Ele era enorme e, por isso, as pessoas tinham muito medo dele.

Golias, que além de grande era forte, lançou um desafio para as pessoas: se houvesse alguém que conseguisse vencê-lo, a guerra acabaria. O problema é que ninguém tinha coragem de lutar contra ele... ninguém, a não ser Davi!

Davi disse que lutaria contra Golias e iria derrotá-lo, mas o rei não deixou porque Davi era muito jovem e parecia ser fraco. Perto de Golias, ele era como uma formiguinha e seria derrotado facilmente. O rei temia pela vida dele, mas Davi não tinha medo, pois sabia que Deus iria ajudá-lo. Então, depois de muito insistir, Davi fez que o rei mudasse de ideia e o deixasse lutar contra Golias.

O jovem Davi não vestiu uma armadura como Golias nem usou equipamentos poderosos. Em vez disso, ele escolheu cinco pedras, separou seu estilingue e foi encarar o gigante. Que coragem! Enfrentar um inimigo tão forte como Golias com apenas cinco pedras e um estilingue era algo bem audacioso, mas, se eu disser que Davi derrotou seu adversário com *uma pedra só*, você acredita? Pois foi isso o que aconteceu! Davi pegou uma pedra, colocou em seu estilingue e arremessou contra a testa de Golias, que caiu derrotado.

Davi foi vitorioso nessa batalha porque sua força veio do Senhor. O próprio Deus foi quem derrotou Golias, Davi foi o instrumento usado por Deus para dar essa vitória ao povo.

Sabe o que eu mais gosto nessa história? Ela me ensina que, assim como Deus deu forças a Davi para derrotar o gigante Golias, ele também nos dá forças para enfrentar todos os problemas que nos assustam. O povo tinha medo de Golias, mas nós não precisamos ter medo dos problemas quando eles surgirem, porque Deus é nossa força e luta nossas batalhas por nós!

Deus, obrigado por me ajudar a ser forte! É muito bom saber que não preciso ter medo sempre que eu precisar enfrentar problemas grandes e assustadores, porque tu estás comigo e lutas por mim. Amém.

A lição de hoje nos ensina que nós também podemos contar com a força de Deus para enfrentar os problemas que surgem em nossa vida. Vamos fazer de conta que os nossos problemas e dificuldades são como gigantes. Pensando nisso, você consegue dizer qual é o gigante que mais o assusta? Não tenha medo dele! Para que você se lembre que pode sempre contar com a força de Deus, escreva o nome desse gigante em um pedaço de papel e, depois, amasse bem. Então, imagine que essa bolinha de papel é como a pedra que Davi arremessou contra a testa de Golias e tente acertar a bolinha dentro do cesto de lixo, como se estivesse atirando em seu gigante. Quando acertar, declare que o seu gigante foi derrotado em nome de Jesus!

Deus Pai é paciente

21

Salmos 103.8,
Números 20.1-13

Olá, amigo, você sabe que dia é hoje? Não? Pensa um pouquinho, pois é uma data muito especial. Hoje é o dia em que chegamos à metade da nossa jornada de conhecimento de Deus! Não é demais? Sabe, tem sido tão legal aprender mais sobre Deus que eu fico querendo que os dias passem bem rápido só para que a hora do próximo devocional chegue logo e eu possa aprender ainda mais sobre ele. Mas olha só que coisa, o tema do nosso estudo de hoje é justamente sobre algo que eu não tenho demonstrado ter: paciência!

Você também é assim algumas vezes? Em alguns momentos, é normal ficarmos ansiosos, desejando que aquela coisa legal que tanto esperamos aconteça logo. Quem nunca ficou contando os dias para chegar a data de uma viagem, do aniversário ou até mesmo das férias? Não há nenhum problema nisso; a única coisa que não pode acontecer é deixar que essa ansiedade toda ocupe o lugar de Deus em nosso coração. A Bíblia nos diz que há tempo para tudo debaixo do céu, então não adianta ficarmos tão ansiosos assim, porque Deus quer que a gente viva um dia de cada vez.

Ah, mas a falta de paciência não acontece apenas quando desejamos que o tempo passe rápido, viu? Também demonstramos impaciência quando as coisas não acontecem do jeito que a gente quer e ficamos irritados com isso. Atitudes assim não são nada legais para as pessoas que têm Jesus no coração. Isso me faz lembrar da história de um personagem da Bíblia que perdeu a paciência com o povo de Israel e acabou sendo desobediente a Deus. Estou falando de Moisés.

Houve um tempo em que o povo escolhido de Deus estava sofrendo muito no Egito, e o Senhor deu a Moisés a missão de resgatá-los e levá-los para uma terra muito especial chamada Canaã, onde Deus iria cuidar deles e protegê-los. Por ser obediente a Deus, Moisés fez tudo como lhe foi ordenado, mas enquanto ele guiava o povo para a terra prometida pelo deserto, aquelas pessoas reclamavam tanto, mas tanto, que Moisés estava ficando muito irritado.

Em certo momento, o povo começou a dizer que estava com sede e queria água para beber. Então, Deus falou para Moisés bater o seu cajado na pedra que ele havia mostrado, pois dali sairia água suficiente para saciar tanto as pessoas quanto o rebanho. Moisés poderia simplesmente ter feito o que Deus ordenou, mas ele estava tão bravo com o povo de Israel que perdeu a paciência e bateu na rocha duas vezes com muita raiva! A água saiu, as pessoas mataram a sede, mas Deus não ficou nada satisfeito com a falta de paciência de Moisés. Como castigo, Deus disse a Moisés que ele iria levar o povo até Canaã, mas não iria morar na terra prometida com eles.

Ei, se você ficou com pena de Moisés, não fique triste! Saiba que, apesar de ter falado isso para ele,

Deus continuou cuidando de Moisés em todo o tempo, até o último dia de sua vida, porque o Senhor jamais abandona aqueles a quem ele ama!

Oração

Deus, obrigado por toda a paciência que tu tens comigo! Às vezes, eu sou desobediente e teimoso, mas mesmo assim tu és paciente e me tratas com amor. Que eu possa ser mais paciente com as pessoas também, seja em casa, seja na escola, na igreja ou em qualquer outro lugar. Amém.

Paciência é um negócio bem difícil, você não acha? Mas, como vimos na lição de hoje, ser paciente é uma forma de agradar a Deus. Você precisa ser uma pessoa mais paciente? Além de pedir a Deus que ajude você com isso, experimente ler um livro por partes. Escolha um livro de que você goste muito, pois a ideia é que a história seja muito legal, daquelas que fazem você querer ler sem parar para saber como termina. Em vez disso, você lerá um capítulo por dia, mesmo que fique bem curioso e ansioso para saber o que vai acontecer. Será que você consegue? Espero que sim!

22

Deus Pai é criador

Gênesis 1.1, 5.1,2, Isaías 44.24

Olá, amigo, dá para acreditar que agora nós já trilhamos mais da metade desta jornada de conhecimento sobre Deus? Está sendo incrível ter a sua companhia todos esses dias! Nós aprendemos tanta coisa legal sobre Deus até aqui que, para o estudo de hoje, eu pensei em algo diferente. O que você acha de, desta vez, nós voltarmos um pouco? Ei, espera aí, não é para voltar para o primeiro dia de devocional, não! Estou falando de voltar um pouco no tempo, a um período que aconteceu antes da história de Moisés que vimos ontem; antes da história de Davi e Golias, que vimos um dia desses; antes de todas as outras histórias que vimos até aqui. Consegue adivinhar aonde eu quero chegar? Se você pensou nos dias da criação do mundo, acertou!

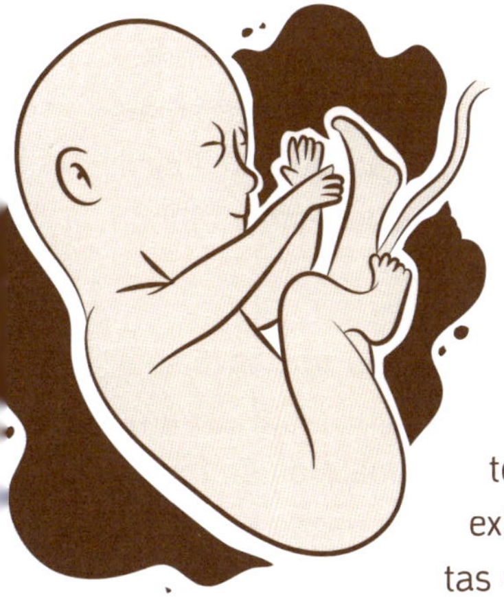

A Bíblia nos diz, lá em Gênesis, que Deus criou tudo o que se vê e tudo o que não se vê. Consegue imaginar algo assim? Isso significa que Deus criou coisas que o homem ainda nem descobriu que existem! E ele criou todas as coisas nos mínimos detalhes: você já viu quantas folhas existem numa árvore? Quantas penas existem em um pássaro e de quantas cores diferentes flores podem ser?

E o pôr do sol, então! Cada dia que termina é um espetáculo diferente. Quando paro para observar tudo o que Deus criou, fico pensando no quanto ele é um Criador incrível. Será que deve ter dado trabalho criar todas essas coisas?

Na Bíblia, nós vemos que Deus criou o mundo em seis dias e reservou o sétimo para tirar um merecido descanso. Ah, mas antes que você pense que Deus precisa de uma folguinha de vez em quando, já vou logo avisando que não foi para isso que ele criou o sétimo dia. Deus não precisa descansar para recuperar as energias, porque a Bíblia nos ensina que o Senhor nunca dorme; ele está sempre bem atento cuidando de toda a sua criação. Mas, então, por que será que existe o sétimo dia? A resposta é muito simples: como Deus reservou esse dia para si, a intenção dele, com isso, é que a gente reserve um dia da nossa semana para ele! É por isso que nós vamos à igreja aos sábados ou domingos.

Nos outros seis dias da criação do mundo, Deus foi criando tudo, um pouquinho de cada vez: em um dia, criou a luz; em outro, criou os oceanos, o firmamento, as plantas, e por aí vai. E no meio de tanta coisa que Deus criou, ele separou um dia inteirinho para se dedicar a sua criação mais especial de todas, você sabe qual é? Se não, dou uma dica: olhe-se no espelho. Entendeu? Isso mesmo, estou falando dos seres humanos, de mim e de você!

Deus criou você do jeitinho que ele quer que você seja, e pensou em cada pequeno detalhe a seu respeito. Ele ama o seu cabelo, a cor dos seus olhos, o formato do seu nariz e várias outras coisas em você porque ele pensou em tudo isso muito antes de você nascer.

Sabia que você e eu somos tão importantes para Deus que ele nos criou a sua imagem e semelhança? Isso quer dizer que Deus nos fez parecidos com ele, mas não estou falando fisicamente! Quando Deus criou o homem, deu a ele várias qualidades que servem para refletirmos o caráter dele, como se a gente fosse um espelho por meio do qual as pessoas conseguem ver Cristo. É por isto que nós podemos ser bons, justos, sábios, obedientes e amorosos: Deus é todas essas coisas!

Oração

Deus criador, obrigado por ter me criado a tua imagem e semelhança! Que eu possa usar todas as qualidades que tu colocaste em mim para refletir o teu caráter e cuidar bem do mundo que tu criaste. Amém.

Para se lembrar de que o nosso Deus criador pensou em cada detalhe seu ao criar você e o ama do jeitinho que você é, que tal, na atividade de hoje, você fazer um bonequinho seu? Você pode fazer de massinha, de lápis de cor, de aquarela, fazer o cabelo de barbante e pensar em uma roupa bem estilosa. Solte a imaginação e use a criatividade que Deus concedeu a você!

Deus Pai é presente

23

Gênesis 28.10-22, Hebreus 13.5b

Olá, amigo, bora lá para mais um dia de devocional? Sabe, eu estava pensando no quanto tem sido legal ter a sua companhia ao longo destes dias. Se eu estivesse sozinho nesta jornada, seria muito chato, porque eu não gosto de ficar sozinho! E você? A amizade é um presente de Deus, mas tem gente que, infelizmente, não dá muito valor a isso... A Bíblia nos conta uma história assim.

Jacó era um rapaz que tinha um irmão gêmeo chamado Esaú, e a Bíblia nos diz que eles não eram amigos, porque certo dia Jacó fez uma coisa muito feia: ele se aproveitou de seu irmão e mentiu para seu pai, Isaque, que estava bem velhinho e já não enxergava direito. Você acredita que ele fingiu ser Esaú só para que seu pai pudesse abençoá-lo no lugar do irmão? Jacó foi muito traiçoeiro! Quando Esaú soube, ficou com tanta raiva dele que quis matá-lo. Então, para salvar a própria vida, Jacó precisou fugir para uma cidade chamada Padã-Arã, que ficava muito distante dali. Era a primeira vez que Jacó ia fazer uma viagem tão longa, mas o mais triste de tudo é que ele estava sozinho e não tinha ninguém para conversar e para lhe fazer companhia.

A viagem de Jacó não foi fácil, pois naquele tempo as coisas eram bem difíceis. Não havia ônibus, metrô, avião, carro ou Uber, como temos hoje. Na época de Jacó, as pessoas que precisassem viajar teriam que ir de jumento, de camelo ou a pé! Já pensou? Ah, e também não havia lanchonetes nem hotéis pelo caminho. Você consegue se imaginar fazendo uma viagem assim, sem poder comer ao menos um lanchinho?

Jacó bem que ia gostar de ter outras opções, assim como nós temos, mas não havia escolha. Ele comia o que encontrava pelo caminho e descansava ao ar livre, porque, como estava indo para um lugar muito longe, sua viagem durou vários dias. E como não havia lugar para se hospedar no caminho, o jeito era dormir no chão.

Certa noite, quando resolveu parar para descansar, Jacó pegou uma pedra para usar de travesseiro e colocou a cabeça sobre ela. Que saudade ele deveria estar sentindo de uma cama quentinha e de um travesseiro macio! Aquele que estava usando era bem duro, mas Jacó estava tão cansado da viagem que pegou no sono rapidinho e até sonhou.

Geralmente, as pessoas têm uns sonhos bem malucos, não é mesmo? Eu já tive cada sonho doido que você não faz ideia! Mas o sonho de Jacó foi diferente, pois nesse sonho ele viu uma escada imensa que ia até o céu. Ele também viu anjos subindo e descendo essa escada, e ali, bem ao lado dele, ao pé da escada, estava o próprio Deus. Que sonho maravilhoso! Jacó estava se sentindo tão sozinho que o Senhor apareceu a ele em sonho para dizer que estaria com ele durante toda a viagem. Isso não é incrível?

Quando Jacó acordou, não viu ninguém, mas sabia que não estava mais sozinho porque Deus estava presente. Apesar de ter errado, Deus estava com ele porque o amava.

Deus também está presente agora! Quando estamos sozinhos e com medo, como Jacó, ele nos mostra que está conosco e nos faz companhia. Fala a verdade, não poderíamos desejar companhia melhor!

Oração

Deus, obrigado por ser presente e estar sempre comigo! Sabe, eu não gosto muito de estar sozinho, e às vezes tenho medo também, mas é muito bom saber que posso contar com a tua companhia sempre que me sentir só. Amém.

No devocional de hoje, nós vimos que Jacó estava viajando para uma cidade muito distante porque estava fugindo de seu irmão, pois Esaú ficou muito bravo quando soube que Jacó enganara seu pai. Como Isaque já estava muito velhinho e não enxergava direito, ele identificava as pessoas tocando no rosto delas. Será que você conseguiria identificar as pessoas da sua família desse jeito? Com a ajuda de um adulto, cubra os olhos com uma venda e, quando não estiver enxergando nada, toque no rosto das pessoas de sua família e tente adivinhar quem é quem. Assim você experimentará estar presente, mesmo sem enxergar.

24

Deus Pai é onisciente

Mateus 6.31,32,
Atos 5.1-11,
1João 3.20

Olá, amigo, animado para o devocional de hoje? Eu estou! Esta jornada de conhecimento de Deus tem sido tão fascinante que estou bastante empolgado. Você também se sente assim? Eu adoro aprender, principalmente quando o assunto é o nosso Deus!

E, por falar em aprendizado, eu me dei conta de uma coisa: não importa o quanto a gente estude e aprenda coisas novas, nós nunca vamos saber tudo sobre tudo, pois Deus é o único que sabe de todas as coisas. Isso significa que Deus Pai é onisciente. Ah, mas se você está achando que não vale a pena estudar só porque sempre teremos coisas novas para aprender, pode parar por aí! Ir à escola, ser um bom aluno, prestar atenção nas aulas e tirar boas notas é uma forma excelente de adorar a Deus em nosso dia a dia, pois o Senhor se alegra com a nossa dedicação e com o bom uso que fazemos da inteligência que ele nos deu.

Ao contrário de nós, Deus não precisa ir à escola para aprender, porque ele já sabe tudo de tudo. A Bíblia nos diz que não existe nada que Deus não saiba ou não entenda, porque ele é a própria sabedoria! E por saber de todas as coisas, ele conhece cada detalhe da sua criação, o que significa que Deus sabe tudo sobre você. Ele sabe quem você é, o que você faz e do que você precisa.

Deus sabe o seu nome, a data do seu aniversário, o seu filme favorito, o nome do seu melhor amigo, o que você fez hoje e o que fará amanhã! Ele conhece todos os seus pensamentos e sabe até mesmo quantos fios de cabelo têm na sua cabeça. Nem o nosso pai ou a nossa mãe nos conhecem tão bem assim!

Deus também sabe tudo o que você faz, pois ele vê todas as coisas. Ele vê quando você obedece aos seus pais, quando é malcriado com eles, quando você divide um doce com os amigos e até quando come tudo escondido para não dividir com ninguém. É por isso que não podemos esconder nada de Deus, pois ele sabe tudo o que fazemos, tanto as coisas boas quando as ruins. Mas, ei, não precisa se preocupar! Sabe por quê? Porque Deus nos ama mesmo quando pecamos e, quando contamos para ele o que fizemos de errado, em vez de esconder, ele nos perdoa e nos ajuda a não errar outra vez.

Ah, e Deus também sabe do que você precisa porque ele nos conhece como ninguém. Ele sabe quando você está com medo, quando está triste, quando precisa de ajuda ou quando se sente sozinho. A Bíblia nos diz que, quando passarmos por alguma situação difícil, Deus estará lá para nos ajudar. O que mais poderíamos querer?

Deus onisciente, sei que eu ainda tenho muita coisa para aprender, mas uma coisa que eu já sei é que tu sabes de tudo o que eu preciso. Obrigado por cuidar tão bem de mim e por me amar mesmo quando eu faço algo de errado. Que tu me ajudes a nunca esconder nada de ti. Amém.

Não é maravilhoso saber que Deus conhece todas as coisas? Não há nada que podemos esconder dele, mas você sabia que tem gente que tenta mesmo assim? Pois é! A Bíblia nos conta uma história assim. Certo dia, um homem chamado Ananias e sua mulher Safira resolveram fazer uma oferta para Deus, mas não foram muito honestos. Eles venderam um terreno que tinham, guardaram uma parte do dinheiro e entregaram a outra parte como oferta, mas mentiram dizendo que aquele era todo o dinheiro que tinham. Ananias achava que ninguém iria descobrir, mas Deus sabia e, como castigo, ele e sua esposa foram mortos. Se você pudesse dar um conselho para Ananias e Safira, o que teria dito a eles?

Deus Pai é eterno

25

João 11.25,26, Isaías 26.4, Salmos 90.2

Olá, amigo, que bom que você chegou! Eu estava só esperando por você para começar o devocional de hoje. Está sendo tão legal aprender mais de Deus todos os dias que eu queria que este devocional não acabasse nunca! Seria muito bom, mas vou contar uma coisa: daqui a alguns dias, vamos chegar ao fim desta jornada, mas sabe o que nunca vai acabar? Tudo o que temos visto sobre Deus! Ele sempre será bom, justo, misericordioso, cheio de graça, onipresente, santo, perfeito e tantas outras coisas que aprendemos sobre ele. Isso porque nosso Deus Pai é eterno.

A Bíblia nos diz que Deus é o mesmo ontem, hoje e sempre. Você sabe o que isso quer dizer? Significa que Deus não tem começo nem fim. Olha só que curioso: Deus criou todas as coisas, mas ninguém criou Deus, pois ele sempre existiu! Interessante, não é? Deus é Deus muito antes de qualquer coisa existir.

E ele está sentado muito acima do globo terrestre, sabia disso? É o que está escrito lá em Isaías 40.22, como vimos no dia em que aprendemos sobre a trindade. É por isso que Deus, que não tem nem começo nem meio e nem fim, consegue ver o começo, o meio e o fim de tudo.

Imagine, por exemplo, que você está em um *show* com milhares de pessoas. Ali, no meio da multidão, fica difícil saber onde começa e onde termina a plateia, até porque você faz parte dela! Mas se um helicóptero sobrevoar a região do *show* e filmar lá de cima, vai dar para ver tudo direitinho, não é verdade?

Com Deus acontece a mesma coisa, mas ele vê muito além do que um helicóptero consegue registrar. Se Deus está muito acima do globo terrestre, como a Bíblia nos diz, isso significa que ele está acima de todas as coisas — e quando eu digo "tudo", é tudo mesmo! Deus está acima do tempo, acima do espaço e acima da vida limitada que temos aqui. Nossa vida neste mundo tem um começo e um fim, mas a vida que teremos no céu, com Deus, não terá fim, e iremos desfrutar da presença dele por toda a eternidade!

Oração

Deus eterno, obrigado por me amar para sempre! Sei que não sou eterno como tu és, mas desejo te amar enquanto eu viver. Amém.

No devocional de hoje, nós aprendemos que Deus é eterno e, por isso, o amor dele por nós dura para sempre! E por nos amar tanto, Deus mandou seu filho Jesus para nos salvar,

pois assim poderíamos receber a vida eterna e morar no céu para sempre junto com ele. Ah, e você sabia que o céu será diferente do que temos aqui? Aqui na terra nós temos a luz do sol para iluminar o dia e o brilho da lua à noite, mas a Bíblia nos diz que no céu nunca mais haverá noite e que o brilho de Deus, o Senhor, será toda a luz de que precisaremos. Leia o que está escrito em Apocalipse 22.1-5 e explique a alguém com as suas palavras como as coisas serão no céu.

Deus Pai é verdadeiro

26

João 8.32, 14.6, Provérbios 12.19,22

Olá, amigo, estava à sua espera, pois tenho algo para contar! Sabe, eu estou um pouco triste. Antes de vir aqui me encontrar com você, descobri que um amigo muito próximo fez algo que me magoou muito. Sabe o que ele fez? Mentiu para mim!

Mentira é coisa séria, porque é algo que não tem nada a ver com Deus. A Bíblia nos ensina, inclusive, que nosso Deus Pai é verdadeiro e que os mentirosos não agradam a Deus, pois a mentira tem perna curta. A verdade, porém, permanece para sempre — e olha só que coisa: ontem mesmo a gente aprendeu que Deus também permanece para sempre, pois ele é eterno! Sabe o que isso significa? Que mais do que ser verdadeiro, Deus é a própria verdade!

Quando a gente faz bagunça e tem medo de ficar de castigo, até dá vontade de contar uma mentirinha bem pequenina só para não levar uma bronca, mas isso é errado, pois, quando mentimos, estamos pecando contra Deus. E como nós já aprendemos, Deus é onisciente, isto é, ele sabe de todas as coisas, até as nossas mentiras! Você se lembra da história de Ananias e Safira, que vimos um dia desses? Eles mentiram sobre a oferta que deram e acharam que ninguém nunca iria descobrir, mas se esqueceram que Deus sabe de tudo e, por isso, não deixou que a mentira deles ficasse impune. Como castigo, Ananias e Safira foram mortos, e, assim, Deus deixou bem claro para todo mundo que ele não tolera a mentira. Nós devemos dizer a verdade sempre, mesmo quando é difícil.

Sabe quem sempre dizia a verdade, mesmo quando corria o risco de perder a vida? Jesus. Na Bíblia há muitas histórias sobre as situações que Jesus passou por escolher dizer a verdade sempre. Naquele tempo, muitos não acreditavam que ele era o filho de Deus; então, quando Jesus dizia, por exemplo, que ele era o caminho, a verdade e a vida, as pessoas ficavam tão bravas com ele que o ofendiam e até o maltratavam! Mas Jesus não se intimidava com esses insultos e seguia falando a verdade, pois o mais importante para ele era agradar a Deus.

Ah, e a Bíblia nos diz uma coisa muito séria sobre a mentira. Em João 8.44 está escrito que o Diabo é o pai da mentira, e quando mentimos estamos agradando a Satanás! Consegue entender por que mentir é algo muito grave? Se somos filhos de Deus, não devemos mentir, porque, quando fazemos isso, estamos agradando quem não deveríamos agradar... Nunca se esqueça: devemos falar a verdade sempre, mesmo que seja difícil, porque somos filhos de Deus, o Pai da verdade!

Deus, eu não sabia que mentir era algo tão sério! Eu não quero agradar ao pai da mentira; quero agradar a ti, que é o Pai da verdade! Mas, sabe, Deus, eu confesso que às vezes é bem difícil falar a verdade, principalmente quando eu sei que fiz algo de errado e vou levar uma bronca. Que tu me ajudes a ter coragem para falar a verdade sempre e não pecar contra ti. Amém.

Ei, se você está se sentindo triste por ter mentido, não precisa ficar assim, pois a mentira tem solução.

Você se lembra do meu amigo? Ele mentiu para mim, mas ele entendeu que estava errado e pediu perdão para mim e para Deus. Você pode fazer o mesmo. Tem alguma coisa que você precisa contar para os seus pais ou para algum amigo? Então confesse esse pecado agora mesmo e peça perdão, pois o Senhor tem alegria em quem segue o caminho da verdade!

27

Deus Pai é amor

1João 4.8, 17-21,
1Coríntios 13.4-8

Olá, amigo, pronto para o devocional de hoje? Que bom! Antes de vir aqui encontrar você, eu estava relembrando tudo o que aprendemos até hoje sobre Deus e notei algo interessante. Nós já vimos que Deus é bom, nunca desiste de nós, se preocupa com a gente, é misericordioso, verdadeiro e digno de confiança. Sabe o que mais é assim? O amor! Lá em 1Coríntios 13, nós podemos ver que o amor tem todas essas características que eu acabei de comentar. Não é legal perceber que todas essas coisas também são características de Deus? Isso significa que Deus é amor.

Mas não é só isso! Pensa comigo: além de todas essas coisas que comentei, nós também aprendemos que Deus é infinito e ilimitado, certo? Então, se Deus é amor, isso quer dizer que seu amor é tão grande que nunca acaba nem se pode medir! Você consegue imaginar algo assim? Feche os olhos e pense numa pessoa que você ama muito. O amor que Deus sente por você é muito maior. Agora pense em quanto seus pais amam você. Se quiser, pergunte a eles; aposto que eles vão dizer que amam você do tamanho

do universo! É bastante coisa, não é? Mas o amor de Deus por nós consegue ser ainda maior que isso!

A maior demonstração do amor de Deus por nós está lá em João 3.16. Será que você consegue adivinhar que versículo é esse sem olhar na Bíblia? Vou dar uma dica: tem a ver com Jesus, cruz, morte e vida eterna... Conseguiu se lembrar? Então, vamos repetir: "Deus amou tanto o mundo que deu seu Filho, seu único filho, pela seguinte razão: para que ninguém precise ser condenado; para que todos, crendo nele, possam ter vida plena e eterna". Não existe nada que se compare a isso!

E é por nos amar tanto assim que Deus espera de nós que a gente o ame de todo o nosso coração. Sabe o que isso significa? Que nenhum outro amor deve ser maior que o amor que dedicamos a Deus. O amor que temos por Deus deve ser maior do que o amor que temos pela nossa família, pelos nossos amigos, pelos nossos jogos ou pela nossa comida favorita. Deus também deseja que amemos ao nosso próximo como a nós mesmos, e isso significa que não devemos fazer ao nosso próximo aquilo que não gostaríamos que fizessem com a gente. A Bíblia nos diz que, se amarmos uns aos outros, Deus habitará

em nosso coração e seu amor nos preencherá por completo, pois, quando vivemos uma vida de amor, vivemos em Deus e Deus vive em nós. Se Deus é amor, o mínimo que devemos fazer é amar!

Oração

Deus de amor, obrigado por me amar tanto, a ponto de enviar o teu filho Jesus para morrer na cruz em meu lugar. Que eu possa valorizar esse grande gesto de amor todos os dias, obedecendo ao mandamento que nos deixaste. Ajuda-me a amar-te mais do que qualquer outra coisa e a viver uma vida de amor. Amém.

Quando Deus nos diz que devemos amar ao nosso próximo como a nós mesmos, significa que devemos ser legais com todo mundo. Demonstramos amor às pessoas quando não fazemos ao nosso próximo aquilo que a gente não gostaria que fizessem conosco, quando perdoamos quem nos chateia, quando obedecemos aos nossos pais e quando demonstramos gentileza. O que você acha de exercitar o amor fazendo uma boa ação pra alguém? Abra a porta do carro, sirva um copo de água, ajude a carregar as sacolas de compras do mercado, faça as coisas sem que seus pais precisem pedir... Seja criativo! Não importa exatamente o que você fará, o que importa é que seja uma atitude de amor ao próximo.

Deus Pai é paz

28

Lucas 4.31-37, Filipenses 4.7

Olá, amigo, que bom que você já está aqui, porque eu estou amando tudo o que temos aprendido sobre Deus (ops, acho que ainda estou pensando na lição de ontem!) e estou ansioso para aprender mais. Você também se sente assim? Sabe, é tanta coisa boa que temos aprendido sobre Deus, que eu percebi que tenho um sentimento novo em meu coração: paz.

A Bíblia nos diz que a paz vem de Deus, e a paz que ele nos dá está acima de todo entendimento, pois é algo que está além da nossa compreensão. Quanto mais aprendemos sobre Deus, mais entendemos que podemos confiar nele. Não precisamos nos preocupar com nada, pois sempre que ficarmos com medo, podemos buscar a Deus em oração. E sabe o que acontece quando fazemos isso? A paz de Deus preenche o nosso coração e nos acalma. É maravilhoso o que acontece quando as preocupações deixam de ser a coisa mais importante da nossa vida, não é verdade? A Bíblia nos conta uma história assim.

Quando Jesus esteve aqui na terra, ele viajava para muitos lugares para falar sobre o amor de Deus. Certa vez, ele foi para uma cidade chamada Cafarnaum, que ficava na Galileia, e lá ensinou ao povo. As pessoas ficaram muito impressionadas com o conhecimento que ele tinha e com o jeito que ensinava, por isso, prestavam muita atenção em tudo o que ele dizia. Naquele dia, Jesus encontrou um homem que vivia tão perturbado que deixava todo mundo com medo. A Bíblia nos conta que ele era atormentado por um espírito mau. Por causa disso, esse homem vivia afastado de todo mundo, até mesmo de sua família, e passava o dia chorando, gritando, rasgando as próprias vestes e se ferindo. Quanto sofrimento!

As pessoas tinham medo de se aproximar daquele homem, mas Jesus não teve. Ele se aproximou do homem e ordenou que o espírito mau que estava dentro dele fosse embora e o deixasse em paz, e foi exatamente isso o que aconteceu. Aquele homem foi liberto e, assim, recebeu a paz que só Jesus pode dar — a paz que está acima de todo entendimento.

Que grande mudança! As pessoas da cidade não conseguiam acreditar no que havia acontecido àquele homem, porque ele tinha sido transformado e parecia outra pessoa, pois agora vivia totalmente em paz. Por causa daquele milagre, todos puderam saber que Jesus é a verdadeira paz.

Deus, obrigado por me dar a tua paz! Às vezes eu sinto medo e fico muito preocupado, mas é muito bom saber que a tua paz me ajuda a passar pelos problemas da vida com tranquilidade no coração. Ajuda-me a falar do teu amor para aqueles que ainda não te conhecem, pois assim essas pessoas também poderão desfrutar da verdadeira paz. Amém.

Além de nos levar a confiar que Deus está no controle de tudo, a Bíblia também nos ensina que nós devemos nos esforçar para viver em paz com todos. É por isso que, quando brigamos com algum amigo na escola, um jeito muito legal de colocar esse conselho em prática é *fazer as pazes* com ele. Você já parou para pensar que fazer as pazes com alguém é estabelecer um relacionamento de paz com essa pessoa? Interessante, não é? Que tal praticar isso hoje mesmo? A hora é agora!

Deus Pai é refúgio

29

Salmos 36.7, 46.1, 62.7,8

Olá, amigo! Estou maravilhado porque nossa vida está melhor, por estarmos mais perto do nosso Deus Pai! E olha que ainda temos um longo caminho a percorrer!

Ah, preciso contar uma coisa! Ontem eu fui ao zoológico, e sabe do que me lembrei? Do dia em que estudamos sobre as maravilhas que Deus criou! Ali, vendo todos aqueles animais, não tinha como não lembrar daquele devocional. E sabe qual foi o animal que mais chamou a minha atenção? A tartaruga! Aposto que você pensou em outro, não é? Mas calma que eu vou explicar.

Sempre que percebe que está em perigo, a tartaruga se esconde dentro do casco e fica bem protegida ali dentro. Ah, e o casco da tartaruga não a protege apenas dos predadores, mas de outros tipos de perigo também, como a chuva intensa ou o vento forte. Sem essa proteção, as tartarugas não conseguiriam sobreviver em situações difíceis, e isso só mostra que Deus realmente é perfeito em tudo o que faz!

E sabe por que eu gosto tanto da tartaruga? Porque eu acho que ela lembra muito a gente. Assim como o casco da tartaruga a protege dos perigos, nós também temos um lugar onde nos esconder quando sentimos medo. Nós podemos nos esconder em Deus, pois ele é o nosso refúgio!

Deus está sempre pronto para nos socorrer. A Bíblia nos diz que ele é socorro bem presente na tribulação. Assim como a tartaruga fica bem protegida dentro de seu casco quando se sente ameaçada, nós também podemos estar bem protegidos nos braços de Deus. Ele é o nosso lugar seguro.

A Bíblia nos traz algumas histórias de pessoas que se refugiaram em Deus; uma delas é Davi. Quando se tornou rei, Davi acabou fazendo muitos inimigos, e isso o deixava com medo; mas mesmo com o coração aflito, Davi sempre encontrava segurança em Deus, e no livro de Salmos podemos ver muitos textos em que ele declara isso. Num deles, Davi diz que Deus é sua rocha firme, um porto seguro e, por isso, podemos confiar nele sem medo. Sempre que se sentia em perigo, Davi corria para Deus e pedia a ele que o protegesse, porque ele confiava no poder do Senhor.

Sabe, tem muita gente que, em vez de se refugiar em Deus, busca proteção em outras coisas. Mas só Deus pode nos dar a verdadeira segurança. Por ser rei, Davi era um homem muito rico e que poderia se cercar de todo tipo de segurança: ele poderia ter uma armadura bem resistente, um grande exército para defendê-lo ou diversas armas e espadas para lutar contra os inimigos que tentassem matá-lo, mas Davi sabia que essas coisas só iriam fornecer a ele uma falsa sensação de segurança.

Ah, eu já estava me esquecendo de dizer algo muito importante: Deus é o nosso refúgio, como você já sabe, mas isso não significa que a gente não vai passar por situações difíceis. Os problemas sempre existirão, mas, quando estamos seguros em Deus, ele nos dá coragem para enfrentar as maiores adversidades!

Deus, obrigado por ser meu abrigo seguro! Gostei de pensar que assim como a tartaruga se refugia em seu casco, eu posso me refugiar em ti quando estiver com medo. Ajuda-me a sempre descansar em ti. Amém.

Não é bom demais saber que Deus é nosso refúgio? A Bíblia nos diz que ele nunca nos abandonará, além disso, nos traz muitas histórias que só nos mostram o quanto isso é verdade. Davi foi só um exemplo, mas existem muitos outros, como José ou Daniel, que vimos alguns dias atrás. Você consegue contar, com suas palavras, de que forma Deus foi um refúgio para José e Daniel? E de que forma ele é um refúgio para você?

Deus Pai tem sonhos para nós

30

Provérbios 16.3,
Jeremias 29.11,
Efésios 3.20,21

Olá, amigo, estou muito feliz por encontrar com você mais um dia para falar sobre as qualidades de Deus. Você consegue se lembrar de alguns dos atributos que já vimos? Já vimos que Deus Pai é bom, justo, sábio, fiel, paciente e muito mais. Hoje vamos falar sobre sonhos, mas não aqueles que temos quando estamos dormindo, e sim aqueles que nós mesmos fazemos, os nossos planos e desejos para o futuro.

A gente sabe que o Senhor é onisciente e conhece os desejos do nosso coração. Quantas vezes você pediu algo para os seus pais e eles responderam que você deveria orar e pedir a Deus? A Palavra do Senhor nos diz que "Deus pode fazer qualquer coisa, muito mais do que poderiam imaginar ou pedir nos seus sonhos!" (Efésios 3.20). Eu costumo dizer que jamais devemos esperar pouco de Deus, porque o Deus a quem servimos não faz nada imperfeito, ele é poderoso e opera muito além do que podemos imaginar.

Então, se Deus quer que a gente sonhe e tem poder para realizar os nossos sonhos, será que isso significa que ele vai nos dar tudo o que pedirmos? A resposta é não! E por mais que isso pareça não ser legal, é uma bênção, porque, na verdade, os planos do Senhor para a nossa vida são muito melhores do que os nossos. Como vimos antes, Deus Pai é sábio, ele tem conhecimento do que é bom e ruim para nós. Por isso, nem tudo o que queremos vai se concretizar, mas isso é ótimo, porque significa que o melhor de Deus vai acontecer!

Você consegue pensar em algum plano que não deu certo? Como você se sentiu? Provavelmente, você ficou frustrado, triste e se sentiu injustiçado. Mas agora você já sabe que os planos de Deus são melhores do que os nossos, e que o Pai tem sonhos para a sua vida, sonhos de dar alegria, esperança e o futuro que você deseja. O que temos que fazer é colocar os nossos desejos nas mãos de Deus, pedir a ele que realize a vontade soberana dele e confiar que o Pai quer ver você bem. Um Pai sempre quer o melhor para o seu filho.

Mas como saber se os seus sonhos estão de acordo com os sonhos de Deus? Os sonhos de Deus nunca serão contrários à Palavra. Ele vai dar a você sonhos que aumentem a sua fé e abençoem a sua vida e a vida das pessoas ao seu redor. Walt Disney, o criador da Disney, disse: "Se você pode sonhar, você pode realizar", mas eu digo: Se você sonhar os sonhos de Deus, eles se tornarão realidade na sua vida! Confie em Deus, tenha fé, porque ele tem grandes expectativas para você!

Meu Deus, muito obrigado por todos os sonhos que tu já realizaste e pelos que ainda vais realizar. Também agradeço por todas as vezes que os meus planos não deram certo porque não estavam de acordo com a tua vontade. Que eu possa ter o meu coração alinhado ao teu e que eu possa sonhar os teus sonhos para a minha vida. Amém.

Já que estamos falando de sonhos, é uma boa oportunidade para pensar nas coisas que o Senhor fez na sua vida e para entregar os seus planos a Deus. Pegue uma folha de papel ou um caderno e faça duas colunas. Na primeira, você vai escrever todas as bênçãos de que se lembrar, como a nota boa que você tirou, o presente que ganhou, a cura de um parente, a viagem que fez, e assim por diante. Na outra coluna, escreva tudo o que tem ocupado um espaço no seu coração, desde as coisas que deixam você ansioso até seus sonhos mais profundos. Guarde essa lista, para que você possa retornar a ela daqui a um tempo e ver quantas coisas Deus tem feito e como ele nos surpreende.

Deus Pai nos libertou

31

Gálatas 5

Olá! Como é bom encontrar você aqui de novo! Você se lembra de quando falamos sobre a graça de Deus? A graça é o favor imerecido que Deus fez por nós quando seu Filho Jesus morreu na cruz para trazer libertação dos pecados. E a palavra-chave de hoje é liberdade!

Como você leu em Gálatas 5, em Cristo, nós somos livres. Paulo, o apóstolo que escreveu esse livro da Bíblia, nos convida a permanecer na liberdade e a nunca mais aceitar viver na escravidão. Você já deve ter estudado sobre escravidão nas aulas de História, ou visto algo a respeito na televisão e nas redes sociais. O que Paulo disse é que não devemos nos sujeitar à escravidão da Lei e da religiosidade porque Jesus nos libertou.

Você consegue imaginar o que é ser escravo da Lei? Paulo chama de escravos da Lei aqueles que pensam na Bíblia como um manual de obrigações. Essas pessoas ficam cegas pela religiosidade e se esquecem de que é mais importante termos um relacionamento íntimo com Deus. Isso não significa que a Palavra de Deus não seja importante para o cristão, muito pelo contrário, nós praticamos a Palavra por obediência e amor a Deus, mas não somos mais escravos da religiosidade.

Nós somos chamados a desfrutar de liberdade, mas como é essa liberdade? Será que significa que a gente pode fazer tudo o que quiser? Paulo responde a essa pergunta no versículo 16, quando diz que devemos viver em liberdade, motivados pelo Espírito de Deus. A vida no Espírito nos leva à santificação e a fugir do pecado e das coisas que desagradam o coração do nosso Pai.

É somente pela oração e pelo relacionamento com Deus que vamos conseguir viver pelo Espírito, buscando seu fruto: "afeição pelos outros, uma vida cheia de exuberância, serenidade, disposição de comemorar a vida, um senso de compaixão no íntimo e a convicção de que há algo de sagrado em toda a criação e nas pessoas" (Gálatas 6.23,24). Nós temos que buscar esse fruto diariamente, porque nossa natureza está sempre inclinada ao pecado, mas é o Espírito Santo que nos fortalece e nos ajuda a renunciar ao pecado.

Pense nas vezes que seus pais aconselharam você a trocar um salgadinho ou um hambúrguer por uma salada, um refrigerante por um suco e um doce por uma fruta. Esses conselhos são dados com sabedoria, porque eles querem o seu bem e que você desfrute de saúde. É isso que Deus faz com a gente, ele nos aconselha a seguir pelo melhor caminho. Nós só encontramos a verdadeira liberdade quando entendemos que Jesus nos libertou do peso do pecado e da religiosidade, e que devemos buscar agradar a Deus, guiados pelo Espírito, não apenas pela Lei, mas por obediência e amor.

Senhor Deus, eu sou grato pela salvação e pela libertação concedidas por Jesus na cruz. Peço que me ajudes a estar cada dia mais perto de ti, agradando o teu coração e sendo guiado pelo Espírito Santo. Que eu possa viver pelo Espírito, conforme a tua Palavra, por amor a ti. Amém.

Volte para a Palavra e leia a respeito dos frutos do Espírito. Pesquise a respeito, se for necessário. Em seguida, pense em quais aspectos você precisa melhorar. Será que você precisa ser mais amável com as pessoas? Será que precisa ser manso? Você também pode perguntar para as pessoas mais próximas, como seus pais, irmãos, primos e amigos. Esse é um exercício difícil, mas é muito importante refletir sobre como temos vivido e sobre como as pessoas nos enxergam, porque precisamos revelar o amor de Deus por meio das nossas falas e ações.

Deus Pai é onipotente

32

Isaías 43.8-13, Apocalipse 1.8

Olá, amigo! Pronto para mais um devocional? Você se lembra de quando falamos que Deus Pai é onipresente e onisciente? Agora temos mais um "oni", mas esse é o último. Além de ser onipresente, estar em todos os lugares, e onisciente, saber de todas as coisas, Deus Pai é onipotente, o que significa que ele é todo-poderoso.

Você consegue pensar em algum herói ou vilão que seja muito poderoso? Eu digo que o nosso Deus é infinitamente mais poderoso. Além disso, Deus é poderoso por natureza. Se você pensar nos heróis dos filmes e HQs, todos eles dependem de algo ou têm alguma fraqueza. Por exemplo, o Homem de Ferro depende da sua armadura e o Thor do martelo. O Super-Homem, apesar de seus poderes, tem a criptonita como fraqueza. Até mesmo o Thanos, que fez um estrago enorme, dependia das joias do infinito. Mas Deus Pai, o Senhor, não é como esses heróis da ficção, porque o poder dele é inigualável, incomparável e imutável. O poder de Deus não tem começo ou fim, e ele não tem uma fraqueza sequer.

Você leu os textos bíblicos de hoje? Em Isaías, Deus diz: "Sim, eu sou Deus. Sempre fui Deus. Ninguém pode tirar nada de mim. Eu faço, e quem pode desfazer o que eu faço?" (Isaías 43.13). Esse versículo nos mostra que Deus esteve aqui muito antes da criação da terra e nada que ele fizer pode ser desfeito. Deus é o Eterno, ele supera as nossas ideias de espaço e tempo.

Sozinhos, nós somos fracos e limitados, mas não existe nada impossível para Deus. Paulo escreveu, em 2Coríntios 12, que a força de Cristo trabalha na nossa fraqueza e, quanto mais fracos nos apresentamos, mais forte ele nos torna. Tudo o que a gente precisa fazer é depender de Deus e entregar as situações nas mãos dele, porque ele nos fortalece, a sua força de herói vem do Pai!

Mas sabe o que é mais surpreendente? O Todo-poderoso, que fez céus, terra, mares, e tudo mais que existe, também nos criou. Ele nos desenhou conforme desejou, ele sonha com o nosso futuro e tem um propósito para nossa vida. Mais do que isso, ele diz que nós somos a evidência de seu infinito poder. Nós somos testemunhas do que Deus é e do que ele faz. Diferente dos outros heróis, que às vezes têm que esconder a sua identidade, é nossa missão revelar a identidade de Deus para o mundo.

Pense nas pessoas na sua vida que ainda não conhecem o amor de Deus. Todas elas precisam de alguém que revele a identidade de Deus e a salvação em Cristo Jesus. Por amor a essas pessoas, nós temos que fazer o melhor para testemunhar a respeito do Senhor e para trazê-las para perto do Pai. Como filhos de um Pai todo-poderoso, devemos mostrar ao mundo quem ele é. Quem melhor do que um filho para apresentar o pai às pessoas?

Deus, eu te louvo, porque tu és todo-poderoso, sabe todas as coisas e estás em todos os lugares. Agradeço por poder contemplar as tuas obras maravilhosas e porque tu me fizeste ser tua testemunha. Peço que me ajudes a mostrar o teu amor para as pessoas e a glorificar o teu nome com a minha vida. Amém.

Deus é um herói muito melhor do que esses da ficção, né? Nós vimos que o Senhor é poderoso e, pelo seu poder, somos fortalecidos. Pense nas histórias que você já leu e ouviu sobre as pessoas que foram fortalecidas pelo poder de Deus, como Davi, Sansão, Daniel, Jeremias, Pedro, Paulo e o próprio Jesus. Esses homens são vistos como heróis, porque Deus fez grandes coisas por meio deles. Assim como eles foram fortalecidos, você também pode ser. Em oração, entregue a Deus as suas fraquezas, para que o poder dele possa aperfeiçoá-lo, e coloque-se à disposição, para que o Pai faça grandes coisas por meio da sua vida também.

33

Deus Pai é a nossa alegria

Salmos 33, João 15.11

Oi, meu amigo! Como está se sentindo hoje? Você está alegre? Sabia que a nossa alegria vem do Senhor? Você pode pensar que isso não faz muito sentido, porque as pessoas que não conhecem a Deus também são felizes, mas a verdadeira alegria, que não pode ser tirada por nada nem ninguém, só pode ser encontrada em Deus.

A alegria que vem de Deus não é passageira, ela é plena e transborda nosso coração. Isso não significa que você não pode ficar triste quando passa por um momento difícil, mas que a sua fonte de alegria deve ser o Senhor. Jesus diz, na passagem de João, "que a minha alegria seja a alegria de vocês". Quando a alegria de Deus é a nossa alegria, nenhuma tristeza vai nos paralisar e nenhuma situação vai nos amedrontar.

Você viu este detalhe na passagem que lemos? "Ele está disposto a resgatá-los dos tempos maus, a prestar todo o auxílio necessário nos tempos difíceis. [...]

E mais: nosso coração transborda de alegria quando tomamos para nós seu santo nome" (Salmos 33.18-21). Que bom saber que o Pai quer nos ajudar a passar pelas dificuldades! Nosso coração transborda de alegria quando nos aproximamos de Deus!

E como a gente encontra a alegria de Deus? Há várias maneiras, mas vou falar de três. A primeira, é na Palavra de Deus. Conhecer as histórias bíblicas nos dá acesso direto ao coração do Pai. Isso significa que, quando lemos a Bíblia, estamos mais perto de Deus, algo que nos enche de prazer e alegria. Outra maneira é pela oração, que nada mais é do que uma conversa com Deus. Pense nas pessoas que você ama, é bom conversar com elas, não é? Da mesma forma, o relacionamento com o Pai preenche o vazio do nosso coração.

A terceira maneira é o louvor. Se você já foi à igreja, deve ter visto as pessoas cantando, dançando, tocando instrumentos. É isso que a passagem de Salmos nos convida a fazer, louvar a Deus com alegria. O louvor é tanto uma forma de buscar alegria, como de demonstrar alegria. A presença de Deus nos leva a dançar, cantar, sorrir, pular, bater palmas e muito mais. O verdadeiro louvor não é a música afinada, o teatro bem elaborado ou a dança complexa, é aquele que vem do nosso coração quando reconhecemos a grandeza de Deus.

E o nosso Deus é digno de todo o nosso louvor e adoração, por tudo o que ele tem feito e pelo que ainda vai fazer, mas, principalmente, por tudo o que ele é. Você tem conseguido perceber a imensidão do nosso Pai? Tudo que Deus é e faz nos torna felizes, ele é a fonte da nossa alegria: "Celebrem o nome de Deus o dia inteiro, todos os dias! Quero dizer, alegrem-se nele!" (Filipenses 4.4).

Oração

Deus, obrigado por ser tão bom e por ser fonte de alegria para a minha vida! Que eu possa correr para os teus braços de amor sempre que alguma coisa tentar roubar a minha alegria. Peço que me ajude a te buscar todos os dias, para que eu possa viver alegre. Amém.

Como lemos no texto de Salmos, devemos louvar a Deus com alegria e com todo o nosso coração. Como você pode louvar a Deus? Pense em alguns dos motivos pelos quais você pode louvar ao Senhor. Você pode começar com as qualidades dele que temos visto durante esta jornada, tenho certeza de que vai encontrar muitos motivos para louvar. Separe um momento para isso, e faça de todo o coração, para que o Senhor também possa se alegrar em você. Você pode, por exemplo, cantar, tocar ou compor um louvor, escrever uma poesia ou um texto, fazer uma arte... Use os seus talentos para agradar ao Senhor!

Deus Pai é vitorioso

34

1Samuel 17.26-54,
João 16.31-33

Olá! Que bom encontrar você para mais uma etapa desta jornada! Espero que você conheça melhor a Palavra e o nosso Deus Pai. É muito importante buscar conhecimento e sabedoria, porque isso nos ajuda a enfrentar as lutas. Quando temos o Senhor ao nosso lado, sempre seremos vitoriosos, porque Deus é vitorioso.

Na vida, enfrentamos vários obstáculos, desafios e dificuldades, mas, como Jesus ensina no livro de João, não podemos fugir, desanimar ou desistir. Jesus venceu o mundo, apesar das dores e da oposição. Temos que confiar que estamos caminhando com o Deus vitorioso, que nos faz mais que vencedores.

A história de Davi e Golias nos mostra isto: quando Deus está conosco, nem mesmo um gigante pode nos derrotar. Davi teve coragem; ele não se intimidou pelo tamanho do gigante, pela sua fama ou pelas suas ameaças. Ao se encontrar com Golias, Davi declarou que não precisava de espada, lança e dardos, porque o Senhor dos Exércitos estava com ele.

Com a pedrinha, o estilingue e a força de Deus, Davi atacou o gigante e permaneceu firme. Pensa comigo, ele tinha tudo para ser derrotado por Golias, que era mais velho, maior, mais forte, tinha a fama de invencível e, ainda por cima, tinha armas. Mas ele não tinha o mais importante: o Deus vitorioso. Que você tenha a fé e a coragem de Davi, que não teve medo, não desistiu e foi vitorioso!

Às vezes, a gente tem que lidar com gigantes também, como uma doença, um problema familiar, um medo muito grande ou alguém com quem você não se dá muito bem. Você consegue pensar em algum gigante que esteja atrapalhando você ultimamente? Você não precisa enfrentar o gigante sozinho, busque o Senhor!

Da mesma forma que aconteceu com Davi, quando encontrarmos as oposições, elas não vão paralisar e amedrontar você, não vão impedir o seu potencial ou os sonhos de Deus para a sua vida, porque o Senhor faz de você vitorioso! Então, não tenha medo dos obstáculos, dos desafios e dos gigantes que vão se levantar, porque o Senhor está com você.

Mesmo se as circunstâncias estiverem contra você, se você achar que é inferior, se você estiver cansado ou fraco, fique firme! Jesus venceu o mundo e Davi venceu Golias porque o Senhor estava com eles. O Senhor desafia as chances, faz o improvável, dá força, coragem e ânimo. E ele pode também fortalecer você e mudar as circunstâncias. O que é um desafio para você no momento, é também uma oportunidade para você correr para perto de Deus e buscar ajuda.

Deus, como é bom saber que tu és vitorioso. Como é bom conhecer mais de ti e da tua Palavra. Obrigado por estar comigo em meio às dificuldades. Peço que me dês coragem, força e ânimo para seguir em frente e para enfrentar os gigantes. Que eu possa ser vitorioso, como tu és vitorioso. Amém.

Vença os seus gigantes! Pense em algum problema que você esteja passando e como você pode derrotar esse gigante. Assim como Davi derrotou o gigante com cinco pedras, pense em cinco formas de vencer, tendo o Senhor ao seu lado. Por exemplo, se o seu gigante é uma prova de matemática, qual é a solução? Estudar, pedir ajuda de quem conhece o assunto, fazer exercícios para treinar, dar o seu melhor e orar para que Deus ajude você a se lembrar de tudo.

Deus Pai é imutável

35

Números 23.19, Hebreus 1.12, Tiago 1.17

Olá, amigo, é sempre bom encontrar você aqui! Você se lembra de como era há dois meses? E há dois anos? Tenho certeza que você mudou, cresceu e se tornou melhor em muitas coisas. As pessoas são assim, elas têm que mudar, se adaptar e melhorar. Até porque não é bom permanecer da mesma forma, não é? Imagine se você continuasse com os mesmos hábitos que tinha aos 2 anos de idade? Mas Deus não é assim, ele é imutável, ele não muda nunca!

Por que será que Deus não muda? Você consegue pensar em um motivo para isso? As qualidades que nós temos visto nos respondem: Deus não muda porque é infinito, justo, santo, perfeito, sábio, onisciente, onipresente e onipotente. Nós mudamos porque é uma necessidade humana crescer e melhorar, mas o Eterno não precisa melhorar, porque ele já tem em si todas as qualidades desde o início. Como vimos no texto bíblico de hoje, em Tiago, não existe instabilidade em Deus.

As pessoas mudam por diversos motivos, por exemplo, quando alguém muda a forma de pensar e agir, provavelmente é porque aprendeu uma coisa nova. Pense comigo, quando você era pequeno e começou a andar de bicicleta, os seus pais ensinaram você a andar na bicicleta com rodinhas. Você só deixou de usar as rodinhas quando aprendeu a andar sozinho. Mas Deus sabe todas as coisas, então ele não precisa aprender mais nada.

Você já se arrependeu de alguma coisa que falou, fez ou pensou? Tenho certeza que sim. Às vezes, falamos as coisas por impulso, agimos de forma errada ou magoamos pessoas com quem nos importamos, porque a nossa natureza é falha. A perfeição de Deus é outro motivo para ele ser imutável. Deus não se arrepende, porque ele não erra. Da mesma forma, ele também não mente, não muda de ideia e sempre cumpre o que promete.

Se Deus permanece sempre o mesmo, isso significa que o seu amor, a sua bondade, justiça, graça e misericórdia também não mudam. Você se lembra que falamos que Deus nos ensina a confiar nele? A imutabilidade de Deus é mais um motivo para confiar nele! Não precisamos ficar inseguros quando se trata do Pai, porque ele não vai errar, não vai deixar de nos amar e não vai nos deixar sozinhos. Relembre a história de Jó, que continuou confiando em Deus apesar de ter perdido tudo e depois foi recompensado em dobro.

Como é bom saber que nós podemos confiar no Deus que não falha, não muda, não mente e não desiste de nós! Como é bom contar com o amor do nosso Pai! Porque temos um Deus imutável, podemos confiar que o Espírito Santo vai nos guiar às mudanças corretas, para que nós possamos ser cada dia melhores e mais confiáveis. Devemos, sim, mudar. Devemos mudar para melhor, buscando ser mais parecidos com o Pai.

Senhor, como é bom saber que posso contar com o Deus que não muda! Obrigado por revelar a tua perfeição e por me amar. Peço que me ajudes a ser cada dia melhor e mais parecido contigo. Quero contar com a firmeza, para que as transformações na minha vida estejam de acordo com os desejos do teu coração. Amém.

Procure as suas fotos antigas, de quando era mais novo, e veja o quanto você tem mudado. Pergunte para os seus pais ou familiares próximos quais foram as características que mudaram na sua personalidade com o passar dos anos e quais não mudaram. Você também pode pensar nas mudanças positivas das pessoas ao seu redor e fazer um elogio para elas. Assim, elas vão perceber que você se importa com o que elas fazem, falam e pensam. É sempre importante valorizar as pessoas que estão perto de nós.

36

Marcos 12.41-44,
João 3.16

Deus Pai é generoso

Olá, amigo! Que alegria encontrar você novamente! Você costuma ajudar as pessoas sem esperar nada em troca? Essa é uma característica muito valiosa das pessoas que amam a Deus, porque o próprio Deus é generoso. O segredo da generosidade está na intenção do coração, não apenas na ação.

Eu tenho certeza de que você já ficou emburrado quando a sua mãe pediu para lavar a louça, passar pano no chão ou recolher o lixo, mas acabou fazendo mesmo assim. Também sei que você já fez tarefas na esperança de receber algo em troca, porque nós somos assim, todo mundo faz isso. Mas é importante saber que agir sem amor nos faz perder a razão.

Você leu a história de hoje? Quando Jesus estava ensinando os seus discípulos, mostrou uma situação: os homens ricos davam valores muito altos de dinheiro como oferta, mas uma mulher pobre deu apenas duas moedinhas. Quando pensamos na ação, parece que os homens ricos foram muito generosos, já que eles deram muito dinheiro,

não é mesmo? Mas Jesus nos ensina que existe algo muito mais importante: a intenção do coração.

Acontece que aqueles homens davam muito dinheiro porque não precisavam dele, e não porque era o que tinham de melhor. Já a mulher pobre, deu esse pouquinho, mas era tudo o que ela tinha! Você consegue ver que o tamanho da nossa generosidade está relacionado à motivação do nosso coração? Se as nossas intenções não forem generosas, a nossa ação também não será.

E você sabe quem é o nosso maior exemplo de generosidade? Se você respondeu que é o Pai, está certo! Nós vemos a generosidade de Deus todos os dias, quando a sua bondade e seu amor nos alcançam, mas o maior ato de generosidade já feito foi a nossa salvação. O versículo de João fala que Deus nos amou tanto, que deu o Filho por nós. O Pai nos deu o que ele tinha de melhor: seu Filho amado, puro e perfeito.

Às vezes é difícil renunciar às coisas que são valiosas para nós. Não falo apenas de bens materiais, mas também do nosso conforto, do nosso descanso, das nossas atividades. Nem sempre vai ser legal deixar de jogar *videogame* para lavar louça, mas as pessoas generosas ajudam e cuidam dos outros.

Ei, você não precisa ser rico para agradar a Deus ou para ajudar as pessoas. Tudo o que você precisa é de um coração generoso, com intenções puras. A sua generosidade tem que começar no pensamento, para ser refletida nas suas ações. Assim, as pessoas vão olhar para você e vão saber que você é filho do Deus generoso.

Deus, tu és tão generoso comigo, que deu o teu próprio Filho por amor a mim. Obrigado por mostrar o teu amor de tantas formas e por revelar a intenção do teu coração. Peço que me ajudes a ser como aquela mulher, que deu tudo o que tinha para agradar a ti. Quero aprender a ser generoso assim como tu és. Amém.

Que lição incrível essa mulher nos ensina, não é? Agora é hora de pensar em como você pode ser generoso com as pessoas. Como você consegue ajudar os outros, sem esperar nada em troca? Você sabia que muitas pessoas não têm acesso a roupas e alimentos? Uma coisa que você pode fazer é juntar as roupas que não usa mais para doar para aqueles que precisam. Fale com os seus pais primeiro e pergunte se eles sabem de alguém que esteja precisando ou de algum local de coleta. Você também pode sugerir doar um pacote de alimento não perecível para ajudar nas cestas básicas.

37

Provérbios 1—31

Deus Pai nos ensina

Olá! Pronto para mais um dia de estudo, amigo? Falando em estudo, qual é a sua matéria preferida na escola? Por que você gosta dela? Provavelmente, um dos motivos para você gostar dessa matéria é porque tem um bom professor, que ajuda você e ensina com cuidado. Mas é importante saber que Deus Pai também é nosso mestre, ele nos ensina de várias maneiras.

A Bíblia é um livro inteiro de lições de Deus para nós, para que a gente saiba mais a respeito das coisas que ele fez, do que vai fazer e de quais são as vontades dele para a nossa vida. A Bíblia é um livro cheio do conhecimento mais precioso do mundo e foi escrita pelas pessoas com quem Deus falou!

Você se lembra que falamos que Deus Pai é sábio? O livro de Provérbios é dedicado às instruções, para que nós possamos ser sábios. No capítulo 1, está escrito: "É um manual para a vida, para aprendermos o que é certo, justo e honesto; para

ensinar aos inexperientes como a vida é, e dar aos jovens uma compreensão da realidade" (Provérbios 1.3,4). Esse é o manual de instruções da vida!

Nós sempre teremos a Palavra do Senhor como o livro de ensinamentos para a nossa vida e, mais do que isso, o livro que dá acesso direto ao Pai! Quando construímos um relacionamento com Deus, ele nos mostra os seus ensinos diariamente.

As circunstâncias que vivemos também são usadas por Deus para nos ensinar. Muitas vezes, Deus não muda as circunstâncias, porque ele quer usar a circunstância para que você aprenda. Isso não significa que Deus quer nos ver tristes, mas ele quer nos ensinar a crescer em fé, esperança, amor, maturidade, sabedoria e conhecimento. Você precisa valorizar os ensinamentos do Pai!

Como é precioso ter um Deus que se preocupa em nos ensinar. Ele é nosso mestre, o melhor professor! Ele ensina com paciência, calma, cuidado e amor. E os ensinamentos dados por Deus são insubstituíveis, nenhum outro professor ou matéria podem se comparar. Deixe o Pai ensinar você, para que você possa honrá-lo, como vemos em Provérbios 2,1-5:

> Amigo, leve a sério o que estou dizendo: guarde meus conselhos, tenha-os com você a vida inteira. Fique de ouvidos atentos para a sabedoria, firme seu coração numa vida de entendimento [...] acredite, antes que se dê conta, entenderá como honrar o Eterno e terá descoberto o conhecimento de Deus.

Oração

Deus, obrigado porque tu me ensinas tanto e me dás acesso a tua Palavra, que tem ensinamentos tão ricos. Peço que continues me ensinando, para que eu possa ter mais conhecimento de ti a cada dia. Que tu me mostres o que eu devo aprender em cada circunstância da vida e me ajudes a caminhar conforme os teus mandamentos. Amém.

Ei, o que acha de fazer uma pesquisa na Bíblia? Todas as histórias desse livro tão rico nos ensinam muitas coisas, escolha uma história para pesquisar e veja se consegue extrair ensinamentos. Você pode começar pelas histórias de que já ouviu falar. Procure saber quem é o personagem da história, qual a circunstância pela qual ele está passando, como é o relacionamento dele com Deus e como o Pai trabalhou na vida desse personagem. Busque pelo tesouro da sabedoria na Palavra do Senhor!

Deus Pai é intencional

38

Ester 2—7

Oi, amigo! Estamos aqui para mais um dia desta jornada que tem sido tão incrível! Hoje vamos falar sobre intencionalidade. Essa palavra é diferente, não é? Falar que Deus é intencional significa falar que tudo o que Deus faz tem um propósito, um motivo, nada é sem querer. Deus fez você de propósito, não foi sem querer!

Às vezes, a gente questiona: por que eu nasci no Brasil? Por que eu nasci em tal cidade? Por que eu nasci em tal família? Por que eu nasci com esta aparência? Nada disso foi sem querer! Tuuuudo o que Deus faz tem uma intenção. Nós fomos criados à imagem e semelhança do Criador, fomos desenhados para cumprir o plano dele.

O texto de hoje conta a história da rainha Ester. Ela foi criada por seu primo, Mardoqueu, e os dois eram judeus. Ester era uma mulher muito linda, que agradava a todos. Foi assim que o rei Xerxes, que estava procurando uma esposa, se apaixonou por ela e eles se casaram. Ester era uma mulher muito correta, assim como seu primo Mardoqueu.

Quando Hamã, o conselheiro do rei, decretou a morte de todos os judeus, Mardoqueu ficou desesperado com essa imensa injustiça. Ele pediu a ajuda de Ester, mas ela estava com muito medo. Aí, ele disse: "Quem sabe não foi justamente para isso que você foi escolhida rainha?" (Ester 4.14b).

Então, mais adiante, Ester consegue convencer o rei de que esse decreto era muito injusto, e ele mandou matar Hamã e salvou os judeus. Você consegue ver o propósito de Deus para a vida de Ester? Ela foi usada pelo Senhor para salvar todo o povo judeu, foi usada no lugar onde estava, na posição que ocupava, para que o plano de Deus se cumprisse!

Cada detalhe dessa história nos mostra a intencionalidade de Deus. Foi ele que permitiu que Ester se tornasse rainha e deu estratégias para que o plano dela desse certo. Assim como o Pai fez com Ester, ele faz comigo e com você. O Senhor tem um propósito para a sua vida e pensa em cada detalhe! Tudo o que você precisa é decidir ser guiado pelo propósito do Pai!

Outra coisa: escolha bem as suas amizades e as pessoas que dão conselhos a você. Veja o exemplo de Mardoqueu e a importância dele na vida de Ester. Não aceite conselhos de pessoas que não entendem o seu propósito, mas procure aquelas que vão orar com você, buscar conhecimento e oferecer palavras de sabedoria!

Ah, como é bom saber que o Pai se importa com cada detalhe da nossa vida e tem uma intenção para cada detalhe!

Deus, agora eu sei que tudo o que tu fazes é intencional. Obrigado por me criares com um propósito e por cada detalhe. Peço que me ajudes a encontrar meu propósito em ti, a ser obediente e corajoso como Ester e a estar cercado de pessoas sábias, como Mardoqueu. Amém.

Pense na pergunta de Mardoqueu para Ester: "Quem sabe não foi justamente para isso que você foi escolhida rainha?". Como essa pergunta pode se tornar verdade na sua vida? Você tem influência na sua casa, na sua igreja, na escola e na sociedade, sabia? Pense em como pode impactar e ajudar as pessoas a sua volta, em como pode cumprir o propósito que Deus tem para a sua vida. O que Deus tem chamado você para fazer?

39

Deus Pai é glorioso

1Crônicas 29.10-13, Isaías 42.8, 1Coríntios 10.31

Oi, amigo! Nossa jornada está pertinho de terminar! Tem sido tão bom compartilhar esses momentos com você. Você está gostando? Pensa rápido: fale cinco atributos, qualidades, de Deus em 10 segundos! E aí, conseguiu? Se prepare, vamos falar de mais um.

Você sabe o que significa dizer que Deus é glorioso? Significa que ele é digno de glória e honra. Talvez você já tenha escutado os seus pais ou o pastor falarem que os filhos têm que honrar os pais. Isso é verdade, mas também temos que honrar o Senhor. Nós honramos a Deus com louvor, obediência, ao valorizar os ensinamentos, ao buscar sabedoria e ao demonstrar o nosso amor. Por outro lado, desonramos quando desobedecemos e desrespeitamos.

A Palavra diz que o Senhor deve ser glorificado e adorado e que tudo o que existe pertence a Deus. Nada se compara à glória de Deus, porque ele é o único que merece nosso louvor e adoração. Nós temos que aprender a cada dia como glorificar a Deus em nossas ações, falas e pensamentos, porque fomos criados para que ele se glorie!

Em 1Coríntios 10.31, está escrito que nós temos que glorificar a Deus em tudo o que fizermos, até nas coisas mais simples, como comer e beber! Pense em tudo o que você faz durante o dia, repasse toda a sua rotina, desde o momento que você acorda até a hora de dormir. Com certeza, você faz muuuitas coisas durante o dia, não é? De acordo com o versículo que lemos, tudo isso tem que ser feito para a glória do Senhor!

E como será que a gente faz isso? Será que é igual a apertar um botão e, de uma hora para a outra, você começa a glorificar em tudo? Seria muito mais fácil se fosse assim, mas não é. É um processo de aprendizado, que envolve intimidade com Deus. Quanto mais você se aproxima de Deus e o conhece, mais descobre quais são as coisas que desagradam o coração dele.

Pense nas suas amizades. Quando você conhece uma pessoa nova, precisa de tempo para conhecê-la, saber do que gosta e do que não gosta, quando está feliz e quando está triste. Para ter intimidade com as pessoas, nós precisamos conversar com elas e investir tempo e esforço. Com Deus, também é assim! Precisamos passar bastante tempo com Deus para descobrir quais são as formas de glorificar a ele.

E eu tenho certeza de que você já sabe como passar mais tempo com Deus, já que falamos bastante disso, mas vou repetir: oração, leitura bíblica, ir à igreja, comunhão com as pessoas e momentos de louvor e adoração. Se aproxime do Pai, para descobrir como você pode honrá-lo!

Pai, eu quero descobrir como te honrar. Eu sei que tu és glorioso e mereces o melhor que eu tenho a oferecer. Que eu possa construir um relacionamento mais íntimo contigo a cada dia, para que eu aprenda a glorificar o teu nome em todos os momentos do meu dia, como está escrito na tua Palavra. Amém.

Vamos colocar esse aprendizado em prática hoje? Pense em como você pode glorificar e reflita a respeito dos alimentos que você tem consumido, das séries e dos filmes. Pense na forma como você fala com as pessoas, se tem sido educado, paciente e bondoso. E as suas tarefas, você tem feito tudo direitinho, sem reclamar, sem ficar bravo?

O que você acha que consegue mudar hoje? Tenho certeza de que você vai descobrir formas de mudar seus hábitos, para conseguir glorificar a Deus na sua rotina.

Deus Pai se importa conosco

40

Jonas 4, Lucas 11.9-14

Oi, amigo, bem-vindo! Vamos para mais uma etapa desta jornada! Antes de começar, eu quero fazer algumas perguntas: você já ganhou um presente muito incrível, que deixou você impressionado? Qual foi o presente? É tão legal quando as pessoas que se importam com a gente demonstram o carinho com presentes!

Ah, mas melhor ainda é quando Deus mostra que se importa com a gente! Você leu na história de Jonas que ele estava indignado com Deus porque sabia que o Senhor seria misericordioso com o povo de Nínive quando eles se arrependessem. Então, o Pai usa essa oportunidade para ensinar Jonas: ele mostra que se importa com aquela cidade, porque aquelas pessoas foram criadas por ele!

Vamos trazer isso para a nossa realidade. Será que os seus pais e familiares fariam qualquer coisa para prejudicar você ou eles querem o seu melhor? Se nós, seres humanos falhos, queremos proporcionar uma vida agradável, feliz e saudável para aqueles que amamos, imagine o que Deus quer e pode fazer por nós!

A passagem de Lucas nos mostra exatamente isso. Os pais querem que os filhos desfrutem de muitas coisas boas, que eles estejam em segurança, com saúde e em paz. Os pais sonham com um lindo futuro para seus filhos e que eles caminhem lado a lado com o Senhor. Mas o Pai é quem realmente sabe o que é o melhor para nós.

Já falamos aqui que Deus tem planos para a nossa vida e que ele quer o nosso bem, e é porque ele nos ama e se importa conosco! Assim como ele se importa conosco e quer que sejamos felizes, ele quer que tenhamos cuidado com as pessoas ao nosso redor. Quem são as pessoas que você mais ama? Você provavelmente quer que elas estejam sempre felizes, não é?

Quando amamos as pessoas, queremos cuidar delas e nos esforçamos para que elas sintam o nosso carinho. Temos que olhar para a forma como o Senhor cuida de nós, para que possamos fazer o mesmo com os outros. E não é só quem é da nossa família, mas também com os nossos amigos, vizinhos, professores e até com aquelas pessoas com quem temos dificuldade de conviver às vezes.

Temos que lembrar, todos os dias, de cuidar das pessoas ao nosso redor. Às vezes, esse cuidado vem em forma de um presente ou cartinha. Outras vezes, a demonstração é no abraço e no consolo, ou então, no auxílio numa tarefa muito difícil ou cansativa. As pessoas têm que saber que são amadas primeiramente por Deus, e, depois, por nós!

Você consegue ver o quanto Deus se importa com você?

Deus, obrigado porque tu te importas comigo e demonstras cuidado todos os dias, desde o momento que eu acordo, até quando me deito. Quero poder amar as pessoas do modo que tu amas. Amém.

Depois de um estudo como este, o que acha de colocar em prática e demonstrar o seu amor pelas pessoas? Como você pode mostrar para as pessoas do seu convívio que você se importa com elas? Você pode, por exemplo, ajudar o irmão ou colega a fazer uma atividade, ou pode auxiliar os seus pais nas tarefas domésticas.

Há muitas coisas que você pode fazer para demonstrar que se importa com as pessoas, mas é importante lembrar de fazer isso todos os dias, não só com gestos grandes, mas com falas e ações que mostrem que você está aprendendo a amar como Deus ama.

Deus Pai é tudo de que precisamos

41

Isaías 40.29,
Isaías 41.13,
Mateus 11.28

Oi, amigo! Que dias incríveis temos vivido juntos. Infelizmente, nem sempre o dia é legal. Você já sentiu um vazio no coração alguma vez? Como se estivesse faltando alguma coisa para ficar feliz? Algumas pessoas procuram preencher esse vazio de tudo quanto é jeito, por exemplo, tem gente que compra um monte de coisas que nem precisa quando está triste. Hoje nós vamos falar da solução para esse problema: Deus é tudo de que nós precisamos na vida! Precisamos buscar o Senhor, e ele cuidará de todo o resto.

Alguma vez você já se sentiu muuuito cansado, como na aula de Educação Física, depois de correr muito? Esse é o cansaço físico, mas você sabia que tem mais de um tipo de cansaço? Existe, por exemplo, o cansaço emocional, que é quando a pessoa está tão triste e frustrada, que parece que não tem mais forças. Outro tipo de cansaço é o cansaço mental, quando alguém se esforça tanto, que parece que o cérebro levou um chacoalhão.

Mas há uma solução para esses problemas, e nós a encontramos em Isaías 40.29. Esse texto nos ensina que Deus fortalece os cansados e não nos deixa desistir; ele renova as nossas forças! Tudo o que nós temos que fazer é correr para os braços do Senhor e falar que precisamos de ajuda. E não é só com o cansaço, mas também com a tristeza, a dor, a raiva, a frustração, os medos, tudo aquilo que nos traz algum tipo de peso.

Nós podemos entregar esse peso nas mãos do Pai e pedir ajuda. Ele está tão perto de nós, que o socorro vem rapidinho, não precisa nem esperar ele vir para cá. Deus não precisa pegar carro, ônibus, metrô nem avião. Ele está muito perto e vai segurar você pela mão e não vai soltar: "Porque eu, o Eterno, seguro vocês pela mão e não vou soltar. Estou dizendo a vocês: 'Nada de pânico. Estou aqui para ajudá-los' " (Isaías 41.13). O nosso auxílio vem do Senhor, e ele é tudo de que nós precisamos para viver.

Nada supre a nossa tristeza e esse vazio, e nada tira o nosso cansaço, a não ser a presença de Deus! Então nem adianta sair por aí comprando várias coisas na internet quando está triste, porque é um prazer passageiro. Já viu aqueles brinquedos de encaixar as formas? Não dá para encaixar um triângulo na forma do círculo, porque aqueles espaços em volta do triângulo vão continuar vazios. É a mesma coisa com o vazio do nosso coração, só Deus pode preencher.

Corra para os braços do Senhor! Ele vai ficar muito feliz de caminhar com você e ajudar nas suas necessidades. Conte as suas frustrações para ele, e ele vai dar todo o consolo de que você precisa!

Oração

Deus, como é bom saber que tu estás comigo em todo momento e podes me ajudar quando estou triste. Entrego nas tuas mãos toda a tristeza, dúvida e os medos que estão no meu coração, porque só o Senhor pode aliviar essa dor. Peço que me ajudes a entender que eu só preciso de ti, e que tu providenciarás todo o resto. Amém!

Tem alguma coisa que esteja pesando no seu coração ultimamente? Você pode fazer uma lista de pedidos de oração, para sempre se lembrar de orar pelas coisas que têm entristecido você. Pergunte aos seus pais, familiares e amigos se eles estão passando por alguma dificuldade e os inclua na lista de pedidos. Você se lembra do pote de pedidos de oração de que falamos outro dia? É muito importante colocar todas essas coisas diante do Pai quando você estiver conversando com ele. Lembre-se que ele vai segurar a sua mão e não vai soltar!

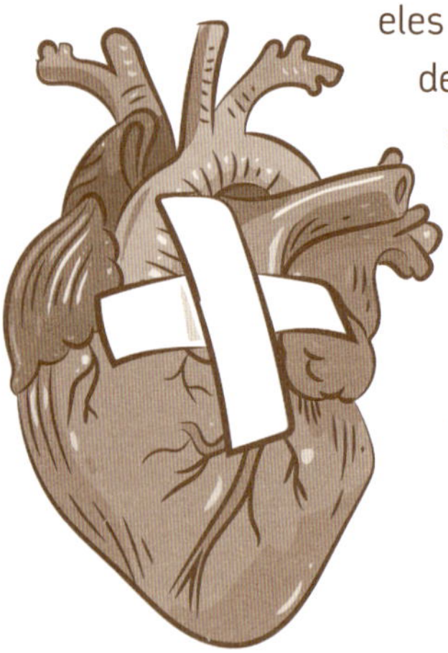

Deus Pai é o nosso Pai

42

Romanos 8.15-17, 1João 3.1-10, 1João 4.4-6

Olá, meu amigo! Que bom encontrar você para este último dia do nosso devocional. Sou grato por poder compartilhar esta jornada com você! É uma pena que está acabando, mas nós vamos encerrar este período tão precioso falando que Deus Pai é o nosso Pai! Saber que somos filhos de Deus é o que nos ajuda a encontrar a nossa identidade e a entender o propósito de Deus para a nossa vida!

Como diz Romanos: "O Espírito de Deus entra em contato com nosso espírito e confirma nossa identidade. Sabemos quem ele é, e sabemos quem somos: Pai e filhos" (8.16). Você é filho de Deus! Filho vencedor, forte e amado de Deus. Temos um Pai celestial que nos guarda, nos cura, renova as nossas forças, nos transforma, nos ensina, nos ama e nos dá um destino! Ele olhou para você e o reconheceu como filho!

Quando descobrimos a nossa identidade como filhos de Deus, percebemos que podemos fazer grandes coisas, porque temos o DNA do Senhor. Nós só encontramos o nosso propósito quando temos convicção da nossa identidade. Você é capaz, porque Deus, o seu Pai, é capaz. Deus olhou para você e enxergou um potencial que nem você sabe que tem. O Criador formou você, com todas as suas qualidades, com a sua aparência e criou também um propósito para a sua vida!

Já aconteceu de falarem para você: "você é a cara do seu pai!" ou "você é igual a sua mãe"? Quando passamos muito tempo com alguém, começamos a nos comportar de uma forma parecida também. Mas, se você é filho de Deus, criado à imagem e semelhança, só precisa passar tempo com o Pai para começar a se parecer com ele na forma de pensar, falar e agir!

E Deus sempre quer passar mais tempo com você! Ele não cansa, não enjoa, não fica impaciente quando você fala sem parar, porque é isso que o Pai quer: relacionamento com você! Ele quer que você passe o dia inteirinho falando com ele, em casa, na rua, na escola, na igreja, em todos os lugares. Ele quer saber como foi o seu dia, o que você está com vontade de fazer e quais são as coisas que chateiam o seu coração.

Todos nós somos filhos de Deus, mas nem todos aceitam a Deus como Pai. O Senhor é o único que pode mudar a sua vida, transformar a sua história e preencher os vazios do seu coração. Peça a Deus que ensine você a ser cada dia mais parecido com ele, que ensine a amar, a ser paciente, sábio, justo e bom. Deus quer que você aceite ser chamado de filho! Corra para os braços do Pai e aceite sua identidade de filho amado, querido e sonhado!

Pai amado, eu sou grato por esses momentos de intimidade contigo e por poder conhecer mais de ti. Obrigado por ser o meu Pai celestial e por mostrar que eu sou amado. Eu aceito ser teu filho e quero ficar cada dia mais próximo do teu coração. Peço que me ajudes a entender a minha identidade, para que eu possa cumprir o propósito que tu tens para a minha vida. Que eu possa ser mais parecido contigo, meu Pai. Amém.

Encerramos aqui a nossa jornada, amigo. Foi um tempo muito importante de aprendizado, que vai mudar nossa vida e nosso relacionamento com Deus Pai e com as pessoas.

Guarde com carinho as coisas que você aprendeu neste devocional e coloque em prática tudo aquilo que vai fazer com que você fique mais perto do Senhor. Conte aos seus amigos e familiares a respeito do que você leu e viveu.

Relembre tudo o que vimos, os textos que você leu na Bíblia, os exercícios e os momentos de oração e reflexão. Como você acha que o seu relacionamento com Deus mudou durante esta jornada? Você foi transformado? Como? Escreva uma carta para mim, eu vou gostar muito de saber o que você achou deste devocional!

Conclusão

Ah, nossa jornada terminou! Que pena!

Mas eu estou tão feliz! Aprendi atributos incríveis do nosso Deus Pai. Eu sei que ele muito mais do que o melhor dos super heróis.

E para você, com foi?

Tire uma foto sua com o livro, me marque nas redes sociais, @juniorrostirola, e me conte qual foi o atributo mais interessante para você!

Fico esperando, hein!

Até breve,

JUNIOR ROSTIROLA